フィールド科学の入口

災害とアートを探る

赤坂憲雄 編

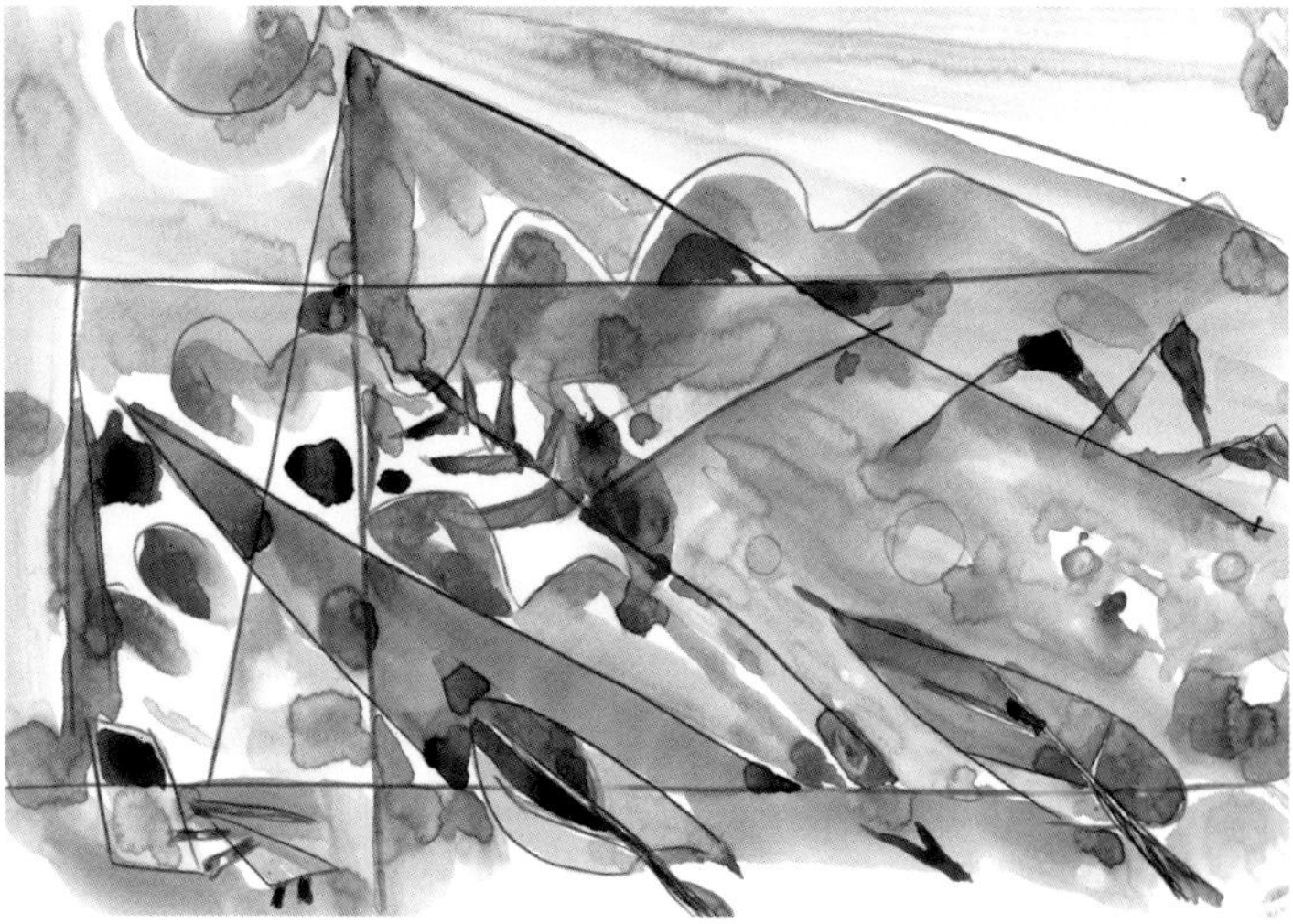

玉川大学出版部

災害とアートを探る

目次

Ⅰ部

対談●北原糸子・赤坂憲雄
災害の社会史 6

Ⅱ部

港　千尋
風景と時間　リサーチからレガシーへ 54

川延安直
福島県立博物館の試み
東日本大震災八年目の春にふり返る 90

Ⅲ部

新井　卓
〈当事者〉と〈非当事者〉を超えて
耳を澄ます未来の物語 138

山内宏泰
記憶の回収と修復から、表現の創出へ　158

藤井　光
核と物　172

小林めぐみ
博物館×アートプロジェクト
大災害・大事故に博物館がむきあう方法　186

あとがき　赤坂憲雄　202

Ⅰ部●対談

災害の社会史

北原糸子×赤坂憲雄

災害の社会史

赤坂　この対談ではゲストの先生に自分のフィールドでやってきた履歴を語っていただくというのが基本です。こちらからいろいろ質問させていただきますので自由にお話しください。

北原　今回は先生の震災での経験もふくめてと、おうかがいしているのですが。

赤坂　わたしは福島県立博物館の館長として何度も企画展をやってきていますのでいくらでもお話しすることはできますけれども、基本は北原さんのお話をうかがいたいと思っています。北原さんにまずお聞きしたかったのは、災害にまつわる歴史学、具体的には社会史についてです。災害の社会史みたいな分野を研究しはじめられた時、まわりにはほとんどそういう研究はなかったんですね。

北原　なかったです。『安政大地震と民衆　地震の社会史』を出版したのが一九八三年になりますが、研究そのものはそのまえからやっていました。くわしくいうと、都市下層民についての研究をやっていました。江戸でも京都でも大坂でも、江戸時代の大都市では人口の大半が下層の庶民です。現在のわたしたちの祖先はほとんどがこうした庶民だと思います。米の消費量から推量して、江戸の人口は約一三〇万、武家と町人が半々と考えると、六〇万ほどが江戸の町人だとして、大体その六〇%くらい、つまり三五〜三六万人が都市下層ですね。

赤坂　落語の世界ですね。

『安政大地震と民衆　地震の社会史』三一書房、一九八三年

都市下層民
江戸時代、武士をのぞく都市住民の大半は、現在のように定まった勤め先に毎日出勤するような生活をしているわけではなかった。表通りに店をかまえて商いをする町人はおそらく住民の二割にも満たず、路地裏に住む多くの住民は振り売り

北原　そうです。圧倒的多数の人たちが、基本的にいまのようなサラリーマンが所属する会社のようなところに属してはいません。だからその日稼ぎというのが基本です。江戸は百万都市だったといわれていますが、その人口を維持するために、幕府は頻繁に公共事業をおこないます。これは、幕府自身が投資するのではなくて大名に金、人足、物資を提供させます。これをお手《て》伝《つだい》普請《ふしん》といいます。江戸幕府のはじめに江戸の城下町や城をつくらせた普請の形態ですね。

赤坂　玉川上水などもそうですね。

北原　玉川上水は江戸開府から大体五〇年くらいたって、玉川兄弟が水路の開削を請け負いましたが、それ以前から江戸では神田上水や赤坂あたりの溜池などからの上水を利用していましたので、既存の水路に玉川上水路をつないで、あの大事業が成就したと考えられています。百万都市江戸はきわめて異常な投資のうえになりたっており、江戸の庶民の全体に仕事がいきわたるわけではないけれど、絶えず公共事業をつくりださないと都市そのものがなりたたなかったのです。

江戸はゴミもすくなくきれいだったというけれど、わたしは大きな疑いをもっていて、そういうかたちで語れる部分はたぶんすくないと考えています。ゴミがすくなくきれいだといえるのは表通りだけで、「**裏店**《うらだな》」と呼ばれた通りの狭い路地を入ったところに住む人の多くの住まいは、当然ながら、便所も水道も共同利用です。そういう裏店住まいの住民は、火災の時には逃げられない場所に住んでいるので、火災による死者はおどろくほど多い。地震は火災ほど頻繁には発生していませんが、地震学者たちは地震の規模や震度をほかの地震と比較するために被害数値を調べます。死者がどの地点で、何人出

と呼ばれる路上での商いをし、職人も絶えず仕事に恵まれるわけではなかった。住民の大半は日々の暮らしのやりくりで大変だったのである。

玉川上水
一六五三（承応二）年、幕府は玉川兄弟の提案を受け入れ、多摩川羽村から拝島・小金井の武蔵台地に水路を開削、江戸の四谷水番屋（現在の新宿御苑正門あたり）まで引水し、水量を調節して四谷見附から麹町台地と、赤坂見附を経て日本橋方面の二手に分けて上水を供給した。台地と低地の高低差を利用した自然流下で、木樋の流末は溜井戸であった。幕府は、大名・旗本からは水銀、普請銀を、商家からは間口の大小により利用料を徴収した。

裏店
江戸時代の城下町にはいまも畳町、桶町、魚町などの

たかといった数値のかたちで、地震学的に必要なデータは安政江戸地震でも調査されて、地震の規模も推定されています。しかし、地震災害として江戸では何がおきて、その後どういうふうに変わっていったのかという点はよくわかりませんでした。それで東大の地震研究所にいけば何かわかるかもしれないと思って、地震研究所にいったんです。そうしたらちょうど研究所が史料を集めていた。大学紛争（一九六八〜六九）で地震研究所がロックアウトされ、先生たちも研究所の外で研究をやらなければならない状況が続いていたようです。それまでは計算機を使って地震のメカニズムを研究されていた先生がしかたなく古文書を集めて古い地震を調べていました。地震学は東京帝国大学理科大学の当初からありましたが、地震は実験できないので史料から被害を確定する方法が日本の地震学のはじまりでした。それから一三〇年あまりを経た現在では、古文書を基礎史料とするこの分野は古地震学、あるいは歴史地震学などと名づけられて研究上のひとつの領域になっています。わたしが地震研究所にうかがったころは、史料編纂所の歴史の先生がたの協力を得て史料を集めはじめていました。人文学系の文献調査にはほとんどお金はつかないけれど、理学系の地震研究にはお金がつくわけですよ。そういうかたちで地震学の先生は大学からだけではなく、外部資金を電気協会などからバックアップされて地震史料を集めていました。

赤坂　日本電気協会ですか。

北原　ようするに原子力発電所設置の事前調査です。

赤坂　原発ですよね。

北原　原発をどこに設置するか。地盤の安全性を調査するための研究です。

町名がのこっている。都市づくりの当初は、職能別に町人たちに屋敷があたえられた。商業活動が都市を支える時代には通りに面した立地が商売の必須条件であったから、都市が発展するとともにあたらしく流入する資産のない人びとは大店が占拠する表通りの裏側に軒を連ねる狭い長屋（裏店）に居住せざるをえなかった。

安政江戸地震
一八五五年一一月一一日（安政二年一〇月二日）の夜、江戸直下を震源とする地震が発生。マグニチュード六・九、直下型地震であったためはげしい揺れにおそわれ火災も発生した。死者は町人約四〇〇〇人、旗本などの死者は記録がなく不明、大名屋敷内での犠牲者は約二〇〇〇人。江戸全体の死者は一万人と推定されている。ただし、この地震で亡くなった大名はいない。

赤坂　なるほどね。なまなましい話ですね。

北原　東日本大震災を経験したいまにして思えばなまなましい話で、産学共同の評価をめぐるむずかしい問題ですが、調査で収集した全国の古地震にかんする史料集は、現在の歴史地震研究の基礎史料となっています。この時期に史料をぜんぶ集める社会的な条件が整いつつあったと思います。ひとつは戦後地方史研究がすごく盛んになって、それから大名家では、お家の史料やお宝とかはべつにしても、藩政史料は県の公文書館に集められる時代になった。一九六〇年代後半から七〇年代はそれがある程度蓄積されて目録もできていました。そういう時期に地震研究所の先生は史料編纂所の先生がたの協力を得て調べていったのです。古文書を見ても「地震」という字の「地」は読めるが「震」は読めない。でも雨と辰みたいなふたつの字がくっついて文字としてのまとまりが悪く古文書でもめだつので、「地震」という字を見つけるとぜんぶ写真に撮って地震研究所にもち帰り翻刻する。地震学の先生は文書が読めないわけだから、歴史学をやってきた人たちが翻刻のアルバイトで活字化するわけです。

たまたま地震研にいったら安政江戸地震の史料調査をしており、わたしは江戸の庶民のことを研究していて興味がありましたから、アルバイトをさせてもらいました。安政江戸地震にかんして西国大名の史料はすごくのこっている。彼らは明治維新もうまくクリアしました。東国の大名はのこっているところもありますが、薩長の維新勢力にたいして政治的にうまく対処できず、西の大名とくらべると史料は圧倒的にすくないですね。熊本藩細川家などの例をあげるまでもなく、藩政史料は西の大名家に多くのこっている。

東日本大震災
二〇一一年三月一一日、マグニチュード九の東北地方太平洋沖地震が発生。南北五〇〇キロ、東西二〇〇キロにもおよぶ日本海溝に沿う断層のずれによって、東北地方は地盤が東側にずれ、太平洋沿岸地域は一メートル以上の地盤沈下がみられた。津波の発生によって二万人ちかい人命が失われた。いまなお、行方不明者が二〇〇〇人ちかくいる。

翻刻
くずし字等で書かれている古文書を一字ずつ現代文字に活字化する作業のこと。

安政江戸地震は安政二年一〇月二日の夜一〇時ごろおきました。江戸には、各藩の屋敷がありますね。地震で殿様が死んじゃったらアウト、後継ぎが決まらないうちに死んじゃったらお家断絶になる可能性はきわめて高いわけです。殿様ご無事の報をすぐ国元へ知らせなければいけません。当時の情報伝達は人をつうじてしか伝わりませんから、**飛脚番士**が馬を飛ばします。いつ江戸を出て、いつ国元についたかを調べると、どの藩にはどれくらいで情報が到達したのかがわかります。**関東大震災**や戦災で焼失したのでのこりかたはさまざまだけれども、藩によっては江戸日記と国元日記がそろっている。そこには江戸で何があって、いつ発信し、国元ではいつ受けとったかが書かれているわけです。江戸地震をこのレベルで調べると、幕末の情報構造がわかります。

でもそれだけでは江戸地震の社会史とはいえないし、おもしろいと思ったけれども、わたし自身はやっぱり裏店に住んでいる人間が、どういうふうに救済を受けたのか知りたかった。封建社会の都市、江戸にかぎらず、京都や大坂などの大都市は、もてる者ともたざる者の格差はきわめて大きかったわけですが、災害の時には富める者は町の人びとの救済をまず心がけます。いろいろな労働や作業をする人間たちが働けないと、町は立ちゆかないから、その人たちを支えるために、米を一か月分とか味噌を一か月分とか、それから家賃を無料にするとかして、緊急時の援助を伝統的にやっているんです。

地震の場合には一発でドンときて、家が倒れたりしますが、飢饉の場合には米の凶作の予想はかなりはやくからわかりますし、実際に米の欠乏がはじまり、翌年の豊凶がわかるまでの期間続くので、非常に長い。そのあいだには米よこせの暴動、一揆などがおきる必然性もありました。だからそうした救済の伝統はある意味では、都市豪商の責務で

飛脚番士
飛脚を担当する藩士。

関東大震災
一九二三（大正一二）年九月一日、相模トラフの断層のずれによって関東地域にマグニチュード八の地震が発生。この地震によって東京、横浜では火災がおき、関東地域全体で死者は一〇万五〇〇〇人におよんだ。とくに東京では日本橋、京橋、神田などの中心部が焼失、当時の東京市二二〇万人の人口のうち六割が被災し、地方へ避難する住民が一時は一〇〇万人ともいわれた。

もありました。

赤坂　飢饉とか災害の時にどういう対応を権力者たちがやったのかというと、公共事業をおこすのが定番だったわけですね。

江戸幕府から現政府まで災害復興は公共事業が中心

北原　そうですね。

赤坂　とにかく公共事業をおこして労働の場をつくる。それでお金や米がちゃんとまわるようにする。つまり日本社会はサバイバルのためにつねに公共事業を上手にくみこんできたと思います。

北原　そうですね。

赤坂　江戸という都市は、つねにそういうサバイバルのような方法で復興・維持されてきました。江戸の公共事業はたしかにすごいですね。かつてはいまの日比谷あたりはまだ海で、江戸時代に埋め立てられています。幕府は大規模な工事をつぎからつぎにして、それが落語の長屋住まいの人たちの生業だったのかと思うと、とてもおどろきます。そのなかで相互扶助のシステムはつくられていたのですか。

北原　つくられていたと思います。

赤坂　安政大地震に北原さんが関心をもたれて研究されていたころは、アウエハントの本が出版されたころですか。

北原　そうです。小松和彦さんや中沢新一さんたち四人の翻訳がちょうど七〇年代の末く

アウエハント
コルネリウス・アウエハント。一九二〇―六六。オランダのライデン出身。日本に留学して鯰絵や沖縄研究をおこなった。『鯰絵　民俗的想像力の世界』せいか書房、一九七九年（岩波文庫、二〇一三年）を執筆。

らいだったですかね。ちょっとはっきりおぼえていませんけど。でも中身はむずかしくて全然わからなかった。絵はおもしろいけどフランス風というのでしょうか、アウエハント氏が説く理屈そのものが見えてこない。わたしはそういうむずかしい議論が苦手でした。鯰絵がなんで、この江戸地震であれだけ売れたのか。図柄はお大尽様による施しを「やれ、やれ」と要求するような絵とか、それを大工、鳶、左官などの職人がよろこんでいる絵柄は江戸そのものです。これはいったいなんだろうって、すごい疑問に思って自分なりに鯰絵の解釈をした。ふだんは十分に食えなくても災害の時には、一挙に大量の施しが各方面から出てくる。近代社会ではないから必ずしも均等ではない。きわめて不公平に、お大尽様のいる町ではいっぱい施行《せぎょう》（施し）があり、場末には大きい商店はないから施行はすくない。江戸の場合には「表通り」が基本です。通りに面した間口の広狭で、町の費用負担が決められていました。

赤坂　そうか路地ではなくて。

北原　ええ、だから表通りで店をかまえていることが商店のネームバリューになるわけです。裏店《うらだな》は商売をするところではなく、売り物を担いで外にいって売るというしくみです。表店《おもてだな》で栄えているところの商人はお金をいっぱいもっているから施行もする。地震だけでなく、江戸の町は洪水も火事も多いから、施行は災害時の伝統的な慣行になっている。そういうふうに考えないと、鯰絵の構造は理解できない。災害からの救済問題はそういうかたちで、鯰絵のもっている災害ユートピアと名づけられるような雰囲気をかもしだしている。背景はこれだと考えついたのです。アウエハントの図式を使ったむずかしい解釈はまったくできなかったけれど、あの本が出たことで鯰絵がいろんな人に

鯰絵
江戸時代の末期、一八五五（安政二）年に発生した安政江戸地震で多数の鯰絵が発行された。地底に住むナマズが地震をおこすという寓話にもとづく、さまざまなストーリーがつくられた。鹿島大明神が出雲神社に赴いたため、鹿島神宮に鎮座する要石の押さえがゆるみ、ナマズが地上に出てきたなどの絵柄は、その滑稽さが当時の人びとに大受けした。

災害ユートピア
大災害のあとには人びとが貧富の差をこえて利他行動に走ることが国の東西を問わず見られる特有な社会現象。阪神・淡路大震災（一九九五年）は日本におけるボランティア元年といわれたが、引きつづく災害でも災害ボランティアは展開され、組織や制度も整えられた。現代社会におけるユートピアのかたちなのだろうか。

インパクトをあたえている。わたしも非常にインパクトを受けましたし、刺激的な内容を社会にあたえた点では大きかったと思います。

赤坂　そこから北原さんはさまざまな展開をなされてますね。瓦版は当時のジャーナリズムで、あるいは出版文化がそこにからみ、災害のイメージは大きく変わっていくと思います。磐梯山の時には、絵師と写真家がいっしょにきている。それで噴火の惨状を伝える。福島県立博物館でもその展示を何度もやっていますが、写真はあまり臨場感ないですよ（写真1・2・3、次ページ写真4）。

北原　噴火災害の現場は撮れないですよ、当時の写真の技術では。

赤坂　絵師たちの描くものは見たようなうそをいっぱい描くことができる。情報量が全然ちがっていて、重ねあわせするとおもしろいものが見えてくると思います。そのまえに

磐梯山の時　磐梯山噴火。一八八八（明治二一）年七月一五日、水蒸気爆発によって四つの峰のうちの小磐梯が山体崩壊し、その土石（岩屑なだれ）が北面の檜原村などを直撃したほか、猪苗代湖に注ぐ長瀬川へ流れくだった土石流による被害を受けた長坂村、爆風で家屋がつぶれた渋谷村など、噴火災害は多様な被害をもたらした。長坂村では農作業をしてい

写真1　〔磐梯山噴火の写真〕苅宿仲衛家文書186（福島県歴史資料館」）

写真2　火砕サージによる爆風に被災した白木城集落の光景、1888年撮影。（2009年刊行、「宮内庁所蔵、磐梯火山1888年噴火の写真Ⅱ」所収の写真）

写真3　1888年磐梯山噴火によって発生した岩屑なだれに埋もれた雄子沢集落の跡、1888年撮影。（1988年刊行、「磐梯山・猪苗代の地学 磐梯山噴火100周年」所収の写真）

写真4　火砕サージに伴う爆風で破壊された白木城集落、1888年撮影。（1988年刊行、「磐梯山・猪苗代の地学 磐梯山噴火100周年」所収の写真）

質問をしておきたいです。安政の大地震の救済っておっしゃいましたね。北原さんの災害研究に一貫していると思うことは、救済とか震災後に被災した人たちがどうやって立ちなおっていくのか、どのように自分たちの社会をデザインしなおすのか、そこに眼差しをむけていらっしゃいます。北原さんが救済をテーマにして研究をはじめられるまえは、災害史研究そのものがなかっただろうと思いますね。いろいろな史料や論文を見てみても、あまり出てこないですね。北原さんの研究は都市の貧困層の研究からすでに大きな流れがはじまって一貫していると感じていました。

わたしは永井荷風の**『日和下駄』**を大学院のゼミで、学生たちと読んだことがあります。あの本のなかには貧しい人たちの姿がいろんなところに描かれていて、その人たちが大名屋敷から流れ出るドブ川のほとりで暮らしている姿が描かれていて、とても関心をもちました。明治になってからも、江戸から東京へ都市が大きく変わっていくダイナミズムを、荷風は不思議な眼差しでながめて描いていることがわかりました。貧困と救済が災害史研究の焦点にならざるをえないと思います。たとえば安政大地震の時には、**享保の大飢饉**がひとつの転機になり、災害にたいする社会的対応のスタイルができあがっていたわけですね。そのへんをお聞かせください。

北原　明治二年の調べによれば、江戸市中の土地はお城もふくめて武家地がだいたい七〇

た村人が土石流の直撃を受け死亡、村の再興のため二五軒の家筋を絶やさないための工夫がほどこされた。この災害による死者四七七人の八〇%ほどはいまなお地中に埋められたままである。これは明治以降の近代日本においてもっとも多い犠牲者が発生した火山災害である。

『日和下駄』　一九一五（大正四）年刊行。『日和下駄 一名 東京散策記』の題のとおり、市中散策の古典的名著として知られる随筆集。一九一四年八月から翌年六月まで「三田文学」に掲載された後、単行本として出版。

享保の大飢饉　一七三二（享保一七）年、西国を中心にイナゴが大発生し、稲が食い荒らされて大凶作となった。西国での飢人は八〇万人をこえ、餓死者は一万人以上にのぼっ

%くらい、のこりの三〇%が、半々の一五%ずつ町人地と寺社地です。七〇%の武家地(一人一人の空間占有地)は、武士の人数がすくない割に圧倒的に多い。武士といっても幕臣層が中心で、各藩の藩士たちは基本的に藩邸内に居住するわけです。しかし明治維新になると、江戸の武家地の処理がすごく悩ましいわけです。相当数の旗本がいたわけですが、その数がはっきりしていません。一八世紀のおしまいごろの旗本御家人の家数だけわかっています。御家人が一万七〇〇〇家、旗本が五〇〇〇家で、両方で二万二〇〇〇家だけど、人数としては家族と家来もいます。旗本の家来は幕府からみれば陪臣といって、家来の家来ですから幕府は彼らに責任をもつ必要はないわけです。直接の家来の身分処理をしようとすれば、それぞれがかかえている家来たちもいっしょに動く。明治四年の**廃藩置県**で、大名家も幕臣も石高はそれまでの一〇分の一に減らされ、百万石であれば十万石になるわけですね。旗本も同じで、それではいままでの家族と家来たちを養えない。だから**徳川慶喜**について静岡にいく者は、いったわけです。けれども薩長政府にしたがわず、旧主の徳川についていきたくない人たちは、反乱をおこして北海道へ逃げた。逃げたというか、そこで独立王国をおこそうとしたけど、失敗したわけですね。しかし、はっきりした選択ができない人たちもいっぱいいたんです。陪臣層の多くは禄高が低く、武士として高い志をもって暮らすことのできるほど生活に余裕のある人びとは圧倒的にすくなかった。幕末から維新期にかけて、こうした人たちの暮らしは江戸市中の下層民と同様です。幕府が倒れたあと、こうした人びとの処遇は維新政府が担わなければいけないので、陪臣困窮層と江戸市中の貧民をまとめて、江戸(東京)外に強制的に押しやる方式が打ちだされました。明治二年三月、**下総牧々開墾の布令**です。

た。農村から大坂、京都などの都市へ飢人が流入、幕府は西国への米の融通業務に追われているあいだに、江戸においても米穀商人高間伝兵衛の打ちこわしがおきた。これを機に、幕府は飢饉時の民間での相互救済を奨励する目的で、飢人への施し金をあたえた商人の名前を著した『仁風一覧』を発行し、後世の範とした。

廃藩置県
一八七一(明治四)年七月、全国の藩を廃止して府県に統一する、維新政府の封建制打破の第二弾。すでに一八六九年には諸藩の藩主は土地とその領民を朝廷に還納する版籍奉還がおこなわれていたから、これによって、全国の土地と人民は維新政府の統制下となったことになる。

徳川慶喜
一八三七—一九一三。江戸幕府最後の第一五代将

江戸時代には小金牧といわれた将軍の狩場でしたが、ここを都市の貧民に開墾させようという政策です。現在の千葉県の松戸、柏、八街など広い範囲が江戸時代の野馬放牧場であり御鷹場でもありました。江戸の周辺にはぐるりと御鷹場が設けられていて、鳥見役が監視する場所でした。実際には鳥じゃなくて怪しげな人間が江戸市中に入らないように監視するしくみです。

いま松戸市に初富《はつとみ》という地名があります。これは、旧江戸貧民(当時は東京窮民といっていた)が、開墾に送りこまれた開墾地の一番を意味します。二和《ふたわ》が二番、五香《ごこう》が五番、六実《むつみ》は六番で地名としてのこっています。でも彼らは農作業をやったことがない都市の住民だから、ほとんどもどってしまい、事実上開墾策は失敗に終わります。

ですが、この政策についてくわしく調べてみると、維新政府自身にはお金がないから、これらの資金は豪商に出させています。豪商に出させて豪商はその開墾地を、たとえば一町歩のうち一反は開墾した人の所有にして、のこり九反は豪商の所有にする。豪商のほかに維新政府の高官も開墾地を入手する目的で資金を出しています。このようなシステムが明治初期の政治的混乱期になぜできたのか、わたしは非常に不思議でした。そこでわたしは、これは享保の大飢饉のころからある町の豪商が金を出して町を守る・存続させるという施行の慣習がそのまま踏襲されている、と考えました。幕府はもちろん多少の資金を出す。開墾に一万両を出し、民間から一万両出させ基金をつくる。だけど実際の事業の遂行は開墾場を取得する側に責任をもたせるということです。この事業では、やはり三井家が中心となって動いていました。最初このアイディアは外国からきたのかと疑問に思っていましたが、江戸時代から都市の豪商たちに維持・安定策をとらせる伝

軍。水戸藩主徳川斉昭の七男、一橋家を継ぐ。一八六七年一〇月一四日大政奉還後、薩長側が辞官・領地返納をせまったのにたいして、慶喜は翌一八六八年一月に討薩を命じ、幕府軍は薩長軍と鳥羽伏見で交戦、幕府軍が大敗した。慶喜はひそかに大坂から江戸に逃げ帰り、政治情勢はいっきに倒幕派の掌握するところになり、江戸幕府瓦解となった。

下総牧々開墾の布令
維新直後の東京では、禄米を失った下級武士とその日稼ぎの都市窮民、さらには武士層の戸籍編成も重要課題であった。その解決策のひとつとして、一八六九(明治二)年三月、江戸時代に馬の放牧場であった小金牧(千葉県松戸、八街)に彼らを送りこみ、開墾農民化をもくろんだ政策。鋤鍬などを手にしたことのない都市窮民一万人ほどが現地へ移送されたが、農地の

統的な方式だとわかりました。つまり、システムとして江戸、明治と時代を貫いている。災害時にはこのシステムが立ちあがるような社会的な構造があって、急場をしのいでいくようになっていた。完全ではないけれども、とりあえずこうしたシステムが立ちあがることが歴史的伝統だとすれば、すごいことだと思います。

赤坂　そうしたシステムは、たとえば関東大震災の時には機能したんでしょうか。

巨大災害時の国家システムはいまもむかしも被災者のものではない

北原　関東大震災までとばなくても、磐梯山噴火や明治三陸津波でも、ともかく民間の義援金のほうが政府の救済よりも圧倒的に多い。近代になって新聞をつうじて情報はすぐに全国化します。関東大震災では、義援金は政府の奨励もあってそれまでに例のない、国内外で一億円集まりました。国内だけでいえば六〇〇〇万円でした。明治政府の場合には、**濃尾地震**がいい例だけど、土木補助費が莫大になりました。伝統的にインフラ整備にお金を投入するスタイルは明治になってからは、鉄道にしろ、堤防にしろ、近代国家としてのインフラ整備を整えようとしていた時期ですから、その修復に多額の費用が必要になりました。濃尾地震では五〇〇万円（単純に一万倍だとすると現在の五〇〇億円）が、岐阜県と愛知県の地震でくずれかかった木曽三川の堤防補修費として緊急勅令で支出されることになりました。天皇による緊急勅令とはいえ、国会の承認をとらなければいけない。第一回国会は明治二三年で、濃尾地震は翌明治二四年でした。第一回の帝国議会の予算案審議で、濃尾地震の土木補助費五〇〇万円を緊急勅令で認めたことにたい

開墾もならず土地への定着もはたされず失敗に終わった。

御鷹場・鳥見役
御鷹場は、江戸時代の領主の狩猟ための場所。たんなる空き地ではなく、農民が居住し、田畑を耕作する場でもあった。幕府は江戸周辺に広大な鷹場を設置し、江戸へ流入する異分子を監視するための緩衝地帯とした。鳥見役は鷹場においてはたんに鳥を見るだけではなく、農民、不法流入者などの監視役を兼ねた。

一町歩・一反
一町歩は約一万平方メートル、一反歩はその一〇分の一の約一〇〇〇平方メートル。

三井家
江戸以来の豪商であり、維新政府の為替方を担った三井家は、ほかの富商とともに下総開墾事業に頭取とし

して、民党は、あくまでも国会の承認を得る必要があると主張して、政府と対立した。この時期の国会では自由民権運動の影響がまだまだ余力をもっていて、国会では民党が多数派でしたし、政府予算案にたいして極力国民の税金を抑え民力休養を主張して、認めないわけです。濃尾地震の予算案だけではなく軍艦建造費もあって、民党にたいする政府の対抗策は、結局国会を解散することでした。第二回総選挙は民党を抑えなければいけない。それで土佐が自由党の拠点、佐賀が立憲改進党の拠点で二五人が死ぬというひどい選挙干渉をやったわけ。

けれども地元の復興として堤防修復の資金は出た。岐阜県の場合は、飛騨のほうは山国で濃尾地震による堤防決壊などの被害はなかった。木曽三川にかこまれた低地は輪中地域としても有名ですが、堤防をはやく修復しないことには、来年の稲の植えつけができないという事情がありました。それがどういうわけか、被害のない山岳地帯に堤防復旧費が配分されているという問題があきらかになり、紛糾しました。災害復旧、復興は、くり返しこのようなパターンが再現されていると思いませんか。

赤坂　いまお話をうかがっていると、東日本大震災の現場でおこっていたこととまったく同じですね。津波の被災地では、まず巨大な防潮堤をつくらなければ復興ははじまらないという障壁が強迫的にかぶさってくる。おそらく一兆円くらいの規模の防潮堤を中心とした公共事業をまずやる。それぞれの地域、たとえば風土に根ざしてこういうふうに復興策をとりたい、そういうのは認めないですね。まずは防潮堤であると。二〇一二年の段階ではシンポジウムに出た時も、たとえば土木工学の専門家が「そんな夢物語みたいなことはできません。どこに材料があるんですか」と隣で発言していたことをわたし

て参画した。政府が出資する基立金一万両に、富商も出資して開墾会社を設立。下総開墾場へ移送される窮民の引き受け人数に応じて、窮民開墾地は、窮民自身へひとり五反歩と屋敷地の無償交付の残地四町歩が開墾会社役員に割りわたされる規定であった。しかし、開墾された土地がすくなく、予測に反して会社役員の取得した土地もすくなかった。

明治三陸津波
明治三陸大津波。一八九六（明治二九）年六月一五日、三陸沖のマグニチュード七・六の地震によっておきた津波で、三陸町綾里で三八・二メートルの遡上高を記録した。宮城県から北海道まで大きな被害を受け、文献により多少の差があるが、死者数は二万一八九四人にたっしたとされる。この地震は典型的な津波地震で、地震のマグニチュードは比較的小さいが、津波の

はよくおぼえている。ところが、ありえないことだと承知していながら政府の方針だということで復興策が動きはじめ、やがて防潮堤をつくる方向に、みんなが思考停止して誘導されていく。その一兆円のお金は地域に分配されているかのように見えるけれども、大きなゼネコンが元締めになって、だんだん小さくなっていく。分配するかたちのなかで。現場からすると、自分たちが復興のために、こういうことをやりたいとか、ああいうことをやりたいっていうところには、ほとんどお金がおりていかないですね。ぜんぶ吸いあげられてしまって。なんか復興経費だなんていっているうちに復興五輪がはじまったじゃないですか。あれすごいですよね。復興五輪という名の被災地にたいするいじめというか。

北原　踏んだり蹴ったりですよね。

赤坂　踏んだり蹴ったりですよ。もうぜんぶお金かかったんだと、何十兆円かかったんだといっておきながら、ほとんどのお金を東京に還元するシステムを巧妙につくっている。それも動きだしてまもなく、こんどは復興のためのオリンピックだ、といいながら東京で巨大な公共事業がはじまれば、そこにお金も労働力もぜんぶもっていかれる。だから土木工学の専門家がいったようになります。つまり食いちらかしたように、ぜんぶできるわけがない。

津波の学者は、防潮堤は津波には無力だと語っていました。わたしはよくおぼえているけど、大津波によってジャンボジェット機がいっきに五〇機つっこむような圧力が加わるわけで、田老の「万里の長城」といわれたああいう防潮堤でも無力です。材料もなくてつくるなんていうのは夢物語だという専門家もいたし、そもそもつくっても無力だと

規模は戦前に我が国をおそった津波のなかで最大である。

濃尾地震
一八九一（明治二四）年一〇月二八日、岐阜・愛知両県を中心に発生した内陸地震としては最大のマグニチュード八の地震で、死者は七〇〇〇人以上、倒壊家屋焼失家屋五五〇〇戸、全壊家屋七万七〇〇〇戸。

民力休養
第一回帝国議会は一八九〇（明治二三）年に開設された。衆議院議員の選挙結果は、定員三〇〇議席のうち、反政府の民党（立憲自由党、立憲改進党など）が半数以上をしめ、民力休養（政治費節減、地租低減など）を主張、政府が示す産業育成策に抵抗した。第一回議会は与野党ともに解散をさけもちこたえたが、第二回議会以降、解散につぐ解散となった。

語られていました。ところが、防潮堤ありきですべてが動いていくという社会システムがあります。いまうかがっていると、日本社会はずっとこれを災害対応の時にくり返してきたわけですね。とりあえず公共事業がおこるので、お金がとりあえず動く。でも復興のビジョンを掲げて動いているわけじゃない。東日本大震災の現場もまさにそうだったなと思いました。なまなましい話ばかりですけれど、避難所とか仮設とかでハウスメーカーが莫大な利益をあげているわけです。災害以前に準備している。材料とか事前にぜんぶ用意している。三か月ほどわたしは政府の復興構想会議の委員をやっていましたから、知っています。

北原　ええ、復興構想会議委員としての憤慨の記事を読みました。

赤坂　とにかくすごく短い期間で仮設住宅を建てる業者を決めようとする。準備をしていない地元の業者はまったく参加できない。かたちだけ形式的に一般公募みたいにはしますが、ぜんぶ用意していたハウスメーカーが一軒あたり五〇〇万円で、とんでもない低コスト安普請ですよ。それをひたすら建てていく。災害ユートピアの裏側にあるしくみ、つまり災害を契機として投下されるお金を、どうやって合理的に回収するかというシステムを徹底して磨いている。そんなのばっかり見てきました。

北原　震災二年後に先生が書かれた『震災考』ですね。

赤坂　二年の記録です。

北原　だんだん怒りが出てくる。

赤坂　そうです。最初は災害ユートピア的なものを信じていました。こういう状況になったら日本社会をよくするためにみんなが知恵を寄せあって、まともなことをするんだろ

復興五輪
東京二〇二〇オリンピック・パラリンピック競技大会を、岩手県、宮城県、福島県の復興のあと押しをするとともに、復興しつつある姿を伝えるためのものとしてとらえた呼称。復興庁は「復興五輪」にむけた連絡調整会議をひらき、取り組みを発表している。

田老の「万里の長城」
一八九六（明治二九）年、一九三三（昭和八）年と続けて大津波による壊滅的被害を受けた岩手県宮古市田老地区（旧田老町）に築かれた防潮堤。高さ一〇メートル、全長二・五キロメートルの巨大建造物は、一九三四年（昭和九）年に着工し、一九七九（昭和五四）年に建設完了の後、「万里の長城」と呼ばれた。

『震災考』
藤原書店、二〇一四年

うとつかのま信じていました。そう信じて復興構想会議に参加したのです。最初の数か月、あの場にいた人たちのあいだには自分の利権とかしがらみは横において、とにかく東北のために何ができるかを議論しようという空気があった。だから議論はとてもおもしろかったけど、数か月後に中間報告書を出した段階で解散させられておしまいでした。阪神・淡路大震災とのちがいは、神戸は復興ビジョンにかかわった人たちはたしか一〇年くらい委員としてとどまって、何がどういうふうに復興としてすすんでいるかを検証する、監視する役割をはたした。でも東日本大震災の時は三か月ですよ。中間報告書を出して、さて最終報告書をすこし長いスパンで出しましょうというのを、だれかがいやがったんですね。官僚に発言権をあたえないかたちにしたものですから、もっと上手に連携してやればいいのに、それを遮断していっさい発言させませんでした。

北原　民主党だった。震災当時の民主党政権が、官僚を徹底的に排除したことは大きかったですよね。

赤坂　大きいですね。自民党の時代に震災に遭遇していれば、原発の爆発事故の責任は原子力政策を推進してきた勢力が背負うことになったはずです。そのあとに民主党が出てくればもっとやりやすかったと思うけど、原子力政策の破綻の責任をぜんぶ背負わされて、たしかに稚拙であったとは思いますが、だれも解決策なんてわかりませんからね。ちょっと脱線しましたが、巨大な災害時にとりあえず社会をつぎのステージに転がしていくための国家システムは、古い時代、たぶん中世あたりからあったんですね。でもそれは東日本大震災の現場で見ていると、完全に収奪のシステムになってしまって、ほんとうに必要な現場には、まともにお金がわたっていないです。いってもしょうがないですが、お金をもらうために膨大な書類を出させるんです。混乱状態で人もいなくて、そんなもの書いている余裕もないし、巨額の復興予算がつけばこんどはその会計収支のために苦労する。

もうひとつお聞きしたいと思っていたことですが、北原さんが書かれている**「災害と家族」**の問題がとても気になります。たとえば明治の三陸大津波の時は、いちばんめだった被害者はお母さんと子どもだった。風俗画なんかで悲惨な絵が描かれたのでそういうイメージが強いのかもしれないですけど、明治と昭和の三陸大津波の時には、家族制度のなかで嫁は舅や姑をおいて逃げることができないみたいなかたちでとどまり、子どもを抱いたまま流されているという状況がある。それと対照的に高齢者はとくにめだつ被災者になっていないですね。**山下文男**さんが書かれていた資料にもありますけど、犠牲者のパーセンテージから見ても、あの時代の高齢者は一〇%未満です。被災者も犠牲者の一〇%未満でとくにめだっていない。これを頭において今回の東日本大震災をながめると、圧倒的に高齢者がめだっています。地域によってちがいますが、かなり多くが高齢者だった。わたしは被災地を歩きながら、やっぱり社会の歪みが出るんだなあと思いました。高齢者の施設は海際に多かったんです。やっぱり土地が安い、そこにしかつくれなかったという理由で、海際につくられている施設が津波におそわれて逃げることができなかった。多くの人が犠牲になっている施設の跡を見て歩きました。震災、災害と家族をテーマとすると、大きく被災の状況そのものが変わったように見えます。北原さんがいわれていることは、かつては家を存続させるというテーマで復興はおこなわれてきたということですね。流されても、養子で人を招き入れて家を守っていますからね。

「災害と家族」
『津波災害と近代日本』（吉川弘文館、二〇一四年）所収

山下文男
一九二四—二〇一一。「津波てんでんこ」を広めた津波災害史研究家。岩手県綾里町の出身。この地で明治、昭和と親族が津波によって犠牲になった体験から、津波防災に生涯とり組み、その経験を生かした著作も数点発表された。東日本大震災で入院先の病院で津波にのまれたものの、助かったが、以後、体調をくずし亡くなった。

北原　明治の時はそうです。

赤坂　その災害と家族をめぐる状況は大きく変わってしまったと、ここでくり返し北原さんが書かれています。実際高齢者が集中的に犠牲者になっている。ほかには障害をもった人たち、調べていくと観光客や外国人もけっこういる。つまり、災害の時に情報をもたない人たちは、何がおこっているかわからずに逃げ場を失ってしまう。場所を確認できないのでこれは明確にいえないけれど、実習生というかたちできていた人や旅の人とか、とりわけ外国人が流されている。

北原　日本の人口減少と、それを補うために増えてきている外国からの移住者の震災被害という問題は、明治三陸の時、昭和三陸の時にはなかったテーマですね。すでに阪神・淡路大震災の時には、外国人被災者の対応は問題になっています。

赤坂　人口減少という問題はわかりやすいと思うんですよ。五、六〇年で人口がそこまで減ることはどういう意味をもつのか。実際に、巨大な防潮堤をつくってその内側を整備して高台に移転した町をつくってみても、人口は半減する。人が住まない場所をつくっている。その矛盾に満ちた光景が広がっています。

北原　ほんとうにそれはどこの現場にいっても聞く話ですね。

赤坂　そう、住む人がいなくなる。やっぱり災害と家族というテーマで照らしだすと、いろんなものが見えてきますね。

北原　昭和三陸というのは明治三陸の三六年後ですけど、山下さんご自身は、明治三陸は体験していなくて昭和三陸津波は体験されている。「津波てんでんこ」っておっしゃってるけれども、あれはスローガンなんです。現実には「てんでんこ」ではなかった。そ

昭和三陸
一九三三（昭和八）年三月三日、三陸沖の海底を震源とするマグニチュード八・三の地震によって津波が発生。三陸沿岸一帯から北海道の南岸部にかけて津波による犠牲者は四〇〇〇人におよんだ。

津波てんでんこ
昭和三陸津波を体験した山下文男さんは、祖母から津波の時には家族はそれぞれ自分のことだけを考えて逃げるのだと教えられ、そのことばを教訓に「つなみてんでんこ」を唱え、津波防災のスローガンにしようと考えたという。東日本大震災後には、メディアでもこのことばが広く愛用され、実際に津波防災上の合言葉として多くの人に受け入れられるにいたった。

れはＮＨＫが今回の震災をビッグデータから解析した結果からもわかっています。携帯電話とか車のデータをもとに、震災の時に人びとがどこへ逃げて、どこへもどったかとか、どうやって逃げたかを再現したんです。それをみると、逃げたあとに家にもう一回もどっていくんですよ。

赤坂　震災のあとですか。

北原　そう東日本大震災発生の直後のことです。山下さんは、防災を自分の生涯をかけた仕事にしようと思ったかたです。自分が昭和三陸津波の時におばあさんにいわれたことを、東日本大震災後にいいはじめた。そういうふうにずっとむかしからやってきたというようにみんなはとらえているけれども、そうではないとわたしは思っています。彼が社会に伝えたいいちばんのことは「津波てんでんこ」でした。一種のスローガンにしようと思ったのではないかと思います。明治三陸では二万二〇〇〇人が亡くなっている。岩手県は一万八五〇〇人が亡くなり、そのうち行方不明は八〇〇〇人でした。もしもこの時「津波てんでんこ」の考えが生きていれば、八〇〇〇人の行方不明はありえないです。津波災害はそういうふうに、行方不明者を圧倒的に出す災害です。明治三陸の時に何もできなかったんです。もし「てんでんこ」が実践できていれば、悲劇はおこっていなかった。津波災害としてははじめての経験だったといっていい。安政三年は幕末ですこし大きい津波があった。でもたくさんは死んでいない。あとは大きい津波といわれた慶長津波では、人口もすくなく繁栄していないから死亡はすくない。

赤坂　人が住んでいなければ津波でも被害はすくないですね。

北原　その意味で「津波てんでんこ」がほんとうに徹底していれば、八〇〇〇人は信じら

八〇〇〇人の行方不明
岩手県の一八九七（明治三〇）年の統計書では、死体収容数として一万二二〇体をあげ、岩手県の死者数一万八〇〇〇人あまりと大幅な差があることについて、「必竟死体ノ多クハ海底ニ委シ又ハ遠ク太洋ニ推流レタルモノニアルニ由ル」（『岩手県治一班第十一回』附録第一）と注釈を加えている。

慶長津波
一六一一年一二月二日（慶長一六年一〇月二八日）、東北の太平洋側をおそった津波地震。慶長三陸地震と称されてきたが、近年、マグニチュード八・一と推定、一〇〇〇年に一度とされた貞観津波（八六九年）に匹敵する被害をもたらした津波であり、津波堆積物の存在からも、慶長奥州地震と称すべきだとする研究成果が著された。

れないくらい多くの人の消滅です。だから碑を村で建てた。亡くなった人を供養する意味で建てたわけ。それが村ごとだったり漁村の仲間だったりっていうかたちで、ほんとうに慰霊をこめて仲間のために村のために建てたんだと思いますね。たくさんの人が亡くなって。あるいは、小さい村ならほとんど消えかかるレベルの数です。一家消滅、一家全員やられたところが七〇〇家族ありますから、めちゃくちゃな被害ですけれども、それが三六年後の昭和三陸の時には、供養碑なんかはやめようと、意味がないので警告碑になった。津波がきたら逃げろ、地震がきたら津波がくる、いっせいにそういうかたちになる。津波学者が提唱していくわけですね。

赤坂　そのあたりとのつながりで「津波てんでんこ」が出てくるんですか。

北原　そうだと思います。なぜそれほど多く行方不明者が出たのか、その実態について明治三陸津波の悲劇をふり返ったほうがいいと思うけれど、あんまりふり返らないですね。

赤坂　どこで読んだのか忘れてしまったんですけど、三陸大津波で壊滅した村が点々とありました。その時代には、漁村のネットワークが全国にありました。わたしら民俗学者の目から見ると、漁村は、ある村と隣の村ではまったく来歴や背景がちがうことがすごく多い。ある村は房総の先っぽからきた、そのまえは和歌山のほうだとか。話を聞いていると歴史とか来歴がてんでばらばらなんです。そうした漁村の見えないネットワークが、明治の三陸大津波のあとではすごく働いたのだと思います。人口も爆発的に増えていった時代でもあり、ほかであふれている親戚筋の労働力がどんどん入ってきて、一家が断絶するくらい壊滅しても、その家につながる人たちが全国から流入して、たちまち五、六年で表面的には復興している。でも人はかなり入れかわっている。そこで思いだすのは、たとえばわたしの田舎は福島県鮫川村ですけれど、近世の飢饉で壊滅的な打撃をこうむるんですよ。そのときにいろんなところから人をかき集めて村はもう一度立ちあがる。こういうしくみがあたりまえにあったのだろうなと思います。明治三陸大津波の記録を見ても、そういうしくみがあったとはほとんど出てこないけれど、消えた家族のあとにいろんな漁村のつながりのなかで、縁故関係を保ってきた人たちが、壊滅した村に家をかまえ、村を再興していくということがあったのだと思います。

北原　磐梯山噴火の時もそうですよ。

赤坂　そうですか。

北原　新潟のほうからきていますね。やっぱり姻戚筋です。

赤坂　姻戚筋ですよね。

北原　直接の血のつながりはないかもしれないけど、奥さんの家系とか。

赤坂　何かのつながりで招かれる。

北原　そうですね。

赤坂　それは人口が右肩あがりに増加している、労働力にあふれている時代の選択なんです。

北原　関東大震災もそうです。関東大震災の時までは県人会という組織が強く機能していましたので、多くの出稼ぎ者を輩出していた東北の諸県は田端駅とか日暮里駅などに事務所をかまえて、自分た

写真5　田端駅から地方へむかう避難民（東京都復興記念館）

県人会

関東大震災では東京市の当時の人口二二〇万人の約六割が被災したが、彼らの大部分は地方から東京へ出稼ぎにきていた人びとであったから、一時的に地方の実家などへ避難する人びとが多かった。各県はそれぞれ東京への出稼ぎ中の県人にたいして手厚い支援をおこなったが、県人会は支援の中心的組織として活躍した。写真は小石川に設けられた震災被災者救援の長野県人会事務所（長野県歴史館蔵「公文編冊三冊ノ一　社会課震災関係第二八号」）。

ちの県の人たちに国元へ帰る旅費もあたえています（写真5）。顔を見ればどこの息子か娘かわかるような関係のなかで、県人会はすごい力をもっていた。官の力は土木というかたちで投資をするかもしれないけど、人間の支えは漁村なら漁村の人間ネットワークでした。関東大震災までは、人間ネットワークははっきりしていた。戦災の時に人間ネットワークがどういうかたちで働いたか、戦災のことは調べていませんが、実家に帰るというのはよく聞きます。たぶんまだ戦災の時には、そういうしくみがあったと思います。システムとして社会そのものを公的に支えることとは、べつの動きがありました。官のシステムを信じていないわけではないけど、それが自分たちのところへはまわってこないということを、非常によくわかっていた。だからこそ義援金が官よりすごいのだと思います。

赤坂　昭和時代もそうですか。いつくらいまで義援金が多いですか。

北原　いまもすごいじゃないですか。東日本大震災でも。

赤坂　すごいけれども、何十兆円の国の復興予算にくらべればすくない。

北原　それは、いままでの災害とはくらべものにならないくらいの異常事態ですからね。関東大震災でも、ともかくいま申しあげたようなかたちで地元がぜんぶ支えますので。それから企業が出てきてます。企業自体も、働く人たちを守るという立場が出てきているることはあります。義援金でわたしが調べた濃尾地震、磐梯山噴火もけっこう多い。膨大な義援金が新聞をつうじて集まる、新聞をとおして全国区ですよ。新聞の紙面に義援者の所属や名前が掲載されるので、どこどこの集落とか、小学校の生徒だとかがまとまれば、個々の応募金額がたとえ一銭であっても、何人も集まれば一口一円となって、義援金の応募規定に合うわけです。そういうかたちでの義援金がこれだけ多いのは、やっぱり官を信用していないとわたしは感じています。

赤坂　今回の東日本大震災では、何十兆円復興予算でつけたといっているけれども、そのお金は配られたかと思うと、もう吸いあげられて東京に還流する。具体的にいくつか知っています、たとえば出版事業がそうです。出版界にいろんな予算が配られて、一〇億だったと思いますけど。何やったかというと書籍の電子化です。仙台の出版社やっている連中なんかは実際にその作業をおこなっていますが、それだけです。それで被災地に一〇億円の出版にかかわる助成をしました、みたいなものですね。いまのお話をうかがっていて、災害と家族というテーマをきちんとながめていくと、被災地が立ちあがってくる時に民はほんとうに官を信じていないですね。

北原　信じてないね。

赤坂　官を信じないで、自分たちのコミュニティの力とか見えないネットワークが最大限に働いて復興のかたちをつくっていった。そこには、復興していく時に家族制度を再編、更新していくというわかりやすいテーマがあったと思います。ところが、そのテーマはもはや東日本大震災の時にはなくなっていたし、コミュニティとかネットワークの力はすっかり弱くなっていた。民俗学者のわたしがあらためて気づかされたのは、被災地を歩いていて、神社や寺の役割がこんなに大きかったのかということです。避難所になったり、いろんなかたちで神社と寺がうまく機能していた。しかし、宗教的なものにはお金は入れられないと復興構想会議でも問題になった。玄侑宗久さんが「なんとかならないか」といっても、もちろん最初から拒み議論もさせない。

玄侑宗久
臨済宗の僧侶、作家。一九五六―。福島県三春町生まれ。東日本大震災復興構想会議委員を務める。僧職を続けながら、震災復興について多くの講演会、執筆活動をおこなう。作家としては二〇〇一年「中陰の花」で第一二五回芥川賞を受賞。

北原　最初から拒否的ですね。

いまは消えてしまった住民の相互扶助システム

赤坂　議論のテーマにもさせない。つまり宗教的なものに特別なお金を入れることはできないという、政教分離の論理ですね。ところが、被災した人たちが地区ごとにまとまって寺に避難して、きびしい時期を支えあって暮らしたといった例がすくなからずありました。寺や神社はたしかにコミュニティの核だったのです。そうしたコミュニティが解体されてばらばらに避難することを強いられたケースでは、悲惨なことがたくさんおこっていました。なんとかまとまって動いたところは、まだ相互扶助のシステムとかが効いて展開がまったくちがいました。外からだとそういうのは見えなくて、もっとコミュニティとか相互扶助としてのネットワークを大事にしていれば、展開が変わったと思います。コミュニティも相互扶助もないところで孤独死することが神戸でもすごく多かった。

北原　阪神大震災の時からすでにそうでしたね。おっしゃるように災害は、社会に潜在していた問題を噴出させる。阪神はいま（二〇一八年現在）から二三年前ですが、家族の結束が都市ではくずれているというか、それをたよりにしていないし、しばられてもいない。だから、バラバラにいろんなところに避難した。そういう人たちを行政は把握できなかった。さらに支援団体がその人たちに情報を送ろうとしても、行政側は個人情報保護を建前にあきらかにしなかった。東日本大震災の場合は、建前として公表はしないけれども、受け入れ先の場合にはある程度、たとえば福島から東京にきた人の場合にはまとまってくるとか、わたしはよくは知らないですが、東京のほうの東雲住宅ってありますね、そういうところに、福島県の避難命令が出された地域の人たちがかたまって避難することがありえたわけです。行政は個人情報をもとめられるままに出したら自分たちが非難されるから冷徹に守る。行政は法を順守するという立場から、東日本大震災の場合でも宗教関係や寺院の復興にも全然お金を出さないでしょう。

赤坂　最初から拒絶しましたね。議論すらさせない。

北原　関東大震災では、東京市の約半分にちかい面積が焼失しました。山の手ではなく下町を中心とする東京の中心部です。そこで後藤新平の都市計画による東京復興が登場する。江戸の名残をのこす古く狭い道路ははば広くして、車の行き交う新都市にしようというわけです。そのために、これまであった家屋などを整理しなおす区画整理をやらなくてはいけない。道路を広くするためには、あたらしくわりあてられた土地の一〇分の一は東京市へ無償で提供する「一割減歩」という原則を立てました。しかしそれでも区画整理執行の際の余裕分は不足します。そこで官が目をつけた土地は、寺院の墓地でした。寺院移転は長い歴史をもっていて、東京は明治維新の時に江戸市中の墓地を、郊外に移転させます。ひとつには江戸市内に一〇〇〇寺ぐらいあった寺院のうち武士の帰依する寺が檀家の不在によって立ちいかなくなることもありましたし、衛生上遺体の土葬禁止令も明治六年に出されています。これについては、明治元年の神仏分離令以降、祖先の遺体を焼いてしまうなどは不敬の極みという神道勢力からの強い反対論も出るなど政策が混乱しましたが、結局郊外九か所に共葬墓地（公が管理する墓地）を設け、旧江

東雲住宅
東日本大震災の福島原発事故によって放射能汚染地域の住民のなかには自主避難した人びとも多くいたが、自治体もそれぞれ避難民を受け入れ、公営住宅などを提供した。東京都江東区の公務員住宅東雲住宅は東京都が用意した福島原発被害地の大熊町や浪江町など帰還困難区域からの避難者用住宅のひとつである。

後藤新平の都市計画
関東大震災では東京市の約四三％が焼失した。内務大臣に就任した後藤新平は、東京市長時代以来、東京の都市改造をねらっていたが、震災によって東京の繁華街の中心部が焼失したこの機を逸してはならないと、彼の配下の都市計画派の若手官僚を中心に道路の大幅な拡幅を中心とする抜本的な東京改造を構想した。焼失地全体の買い上げ案を断念し、焼失地を六六区画に分

戸市内の寺院は遺骨の埋葬のみ郊外寺院の借地に埋葬するという措置がとられました。江戸を引き継ぐ東京にとって、墓地問題は関東大震災の時にとつぜん出てきたわけではなかった。舗装もされず埃と泥の道であった東京を近代都市として改造するうえで、墓地整理の成否は事業の成就を左右した。明治二一年の市区改正条例では、東京市内の墓地面積一〇〇〇坪以下のものは郊外移転という方針が出されています。寺院の反対は根強く、明治三六年に仕切り直しをして東京改造の新設計を打ちだしました。墓地はむかしから無主、無縁地ですから、土地に価格がつけられているわけでなく、税金もかからない土地です。寺は墓地を所有せず、管理するにすぎません。墓地移転を推進するために、移転墓地の跡地を管理者（寺院）に無償交付する方針を打ちだし、寺院の土地とするわけです。この時には、わずか三〇か寺たらずの寺院が郊外に移転したにすぎませんでした。寺が遠くなることに反対する檀家などのこともありましたが、基本的なネックは予算の不足だったでしょう。

明治維新の時と関東大震災の時の寺院移転の大きなちがいは、明治の時には墓石は撤去したものの埋葬された遺骨はそのまま地中にのこしていました。関東大震災では墓地を廃止して一般宅地にくりいれようというわけですから、墓石だけでなく、埋葬されている遺骨もすべて掘り返して移転させなければなりません。墓地移転をすれば、家の一割減歩などおよびもつかない土地の余裕が出てくると想像されます。東京の半分が焼土と化し、帝都復興事業の莫大な予算もつくこの時をおいて、ほかにないわけです。復興事業の区画整理による墓地移転は、強制力をもっておこなう条件があった。帝都復興事業の区画整理は、焼失地域を対象としていました。東京の区部の焼失・倒壊寺院は六四七

け、国と東京市が分けあって区画整理法にもとづく東京改造を実現した。後藤新平（一八五七―一九二九）は岩手県水沢生まれ。初期に医学を志し、のちに内務省衛生局長から台湾統治に成功後、政治家へ転身。一九二〇年東京市長、一九二三年の震災内閣で内務大臣となり、帝都復興事業を推進した。

か寺、郡部は一六三か寺、合計すると東京府では八一〇か寺が焼失など相当大きな被害を受けた。当時の麹町区や日本橋区にはほとんど寺はありませんが、浅草区では二六九か寺が焼けています。焼失・倒壊などの被害寺院は、墓地もふくめて郊外移転という方針がとられ、明治三六年の移転墓地の無償交付方式によって寺院移転、墓地移転が執行されることになりました。

この方式で実施された寺院移転のケースを見ていくと、じつに巧妙だという感じがしました。移転先の土地の確保が必要になりますが、行政が移転先への調整をはかるほか、寺院の檀家の伝手による土地確保などもあって、多様であったようです。墓地と寺がくるとなると、周辺の農家は反対する問題もありました。墓地を移転する場合に跡地は一般宅地として土地に値段がつけられることになります。移転先の土地の買収価格が墓地跡地と等価であれば、移転に際しての寺院の代替地負担はなくなります。墓石や遺骨の掘りおこしから、運搬、あたらしい土地への埋葬についての費用は、すべて帝都復興の区画整理費から充当されました。墓石や遺骨はあくまでも遺族の所有物ですから、墓地移転には寺の総代が立ちあい、実際に墓石や遺骨を大八車で運んだという話もあります。

赤坂　時間はけっこうかかっていますか。

北原　かなりかかっていますね。帝都復興費は七か年間という予算が組まれていましたので、だいたい七年で移転を完了しています。**築地本願寺**の場合には、境内地に末寺が五八ありましたが、このうち四七か寺が移転し、廃寺二か寺、境内にそのままのこった寺が八か寺でした。そのほか一か寺が不明です。京都に本山がありますが、東京の築地本願寺は関東の浄土真宗本願寺派寺院の総元締めですから、檀家の反対もあり移転せず、

築地本願寺
浄土真宗本願寺派の東京別院。一七世紀初頭に浅草に寺院を建立、その後明暦の大火を経て、現在の築地の地を埋め立て、大規模な境内地に本堂、末寺が形成された。幕末には末寺五八か寺が集中する大伽藍となったが、関東大震災で木造の本堂、末寺も焼失、区画整理事業により、多くの末寺は郊外地へ移転し、本堂のみが元地に伊東忠太の設計によって再建された。

伊東忠太
一八六七—一九五四。建築

伊東忠太の設計で斬新な現在の築地本願寺が建立されたのです。移転先での寺の再建費用は政教分離の方針にもとづいて官から費用は出ませんので、この点は現在も同じですが、檀家から工面してもらう、あるいは宗派の連携にもとづいた支援を受けるなどして、本堂や庫裏を再建するわけです。檀家も被災している場合が多いので、寺の本堂や庫裏の再建には時間がかかっています。そのあいだは、仮本堂などで遺骨をあずかるなどしています。

赤坂　東日本大震災でも多くの寺院が被害を受けたそうですね。

北原　暫定値ですが、かなりの数です。寺院そのものは地域に公平に分布しているわけじゃないでしょう。宗派それぞれの布教によるかたよりがありますので、山深いところにあったりします。東日本大震災の場合には、ともかく寺院の復興はまだ全然だめですよ。

赤坂　できてないですよね。阪神・淡路大震災で罹災した淡路島のあたりの関係者と話をしたら、二〇年くらいはかかったといっていました。ようするにかつてあった救済システムが、東日本大震災の時にもまったく動いていないですね。

北原　檀家そのものが減っているでしょう。

赤坂　減っていますね。

北原　檀家のコミュニティと寺院にたいする敬意が、けっこうなくなっているでしょう。

赤坂　なくなっています。宗派の財力にたよっている感じですね。檀家はもういないから。

北原　国立市に築地本願寺から移転した応善寺というお寺が一軒あります。世田谷の烏山や練馬の十一ケ寺など、関東大震災以降にできた寺町は有名ですが、国立ってちょっと遠いからどうしてだろうと思って、お寺さんに聞きました。現在の国立市の中心部をし

家。関東大震災で多くの人が焼死した被服廠跡の震災記念堂（現東京都慰霊堂）の設計を手がけ、また、同じく関東大震災で焼失した築地本願寺にコンクリート造の築地本願寺を建立している。いずれも、獅子や麒麟などの動物を柱や軒下の飾りにするなど独特の建築意匠がこらされ、東洋趣味と西洋建築技術を融合させた傑作と評価される。

応善寺
関東大震災後の東京の都市計画実施にあたっては、東西南北に四二メートルの道路（靖国通りと昭和通り）を通すことを基本軸として従来の東京の道路改造が実施され、焼失地の家屋の移転に際しては一割減歩が実施され、寺院の墓地も宅地化するために郊外移転が実施された。応善寺はこの事業の一環であたらしくできた国立町へ移転した寺院である。

める街並みは、神田一ツ橋にあった東京商科大学（一橋大学）の校舎焼失、移転にともなって、堤康次郎社長の箱根土地会社が、甲州街道沿いの谷保という古くからある村の地主さんたちから広大な雑木林を買いあげ、理想の大学町をつくろうと生まれたものでした。一〇〇万坪の郊外生活の理想郷をつくると堤康次郎が豪語する「国立大学町」は、ドイツのゲッチンゲンを手本とするものであったといいます。当時くばられた売りこみ広告には、郊外の緑ゆたかな「田園都市」へのあこがれを誘うことばが散りばめられています。しかし、その新都市は一区画が最低でも五六〇〇円だったということですから、おいそれと都市の貧乏人が購入できる値段ではなかったでしょうが、応善寺は檀家であった風月堂が購入した土地を寄贈されたということでした。

東日本大震災の場合そういうことが可能かというと、どうでしょう。まあ嵩上げや区画整理をして移転せざるをえなくても、政教分離の原則が貫かれて、寺の本堂再建に行政は支援しませんね。

赤坂　そういう情報は全然伝わってこない。

北原　そうですか。いまちょっと寺院のことを調べているけれど、やっぱり檀家のことを考えると、寺は移転しない。

赤坂　動いたら檀家との関係が切れますか。

北原　今回の場合には檀家そのものが嵩上げで移転するから、すごく様変わりします。

赤坂　嵩上げのあたらしい町のなかで、神社とか寺をどうするのでしょうか。

北原　たぶん建築家たちがつくったあたらしい区画では、コミュニティのよりどころとしておくはずですよ。建築家であれば、寺院そのものの存在をかなり重要視すると思います。

ゲッチンゲン
ドイツ中部ニーダーザクセン州の都市。一八世紀以来大学町として発展。ゲーテやシラーが提唱したシュトルム・ウント・ドランク（＝疾風怒涛・人間性の自由な感情の解放）の運動の中心地でもあり、さらには、武力によってドイツを統一させ帝国最初の宰相となったビスマルクの出身地でもある。

赤坂　いずれ調査して歩きたいですね。ダムの移転、たとえば熊本の五木村でも高台に移転している。入口に墓地をつくり、いちばん奥まったところに立派な神社がつくられている。神社と寺と墓地はわれわれ民俗学者から見ると、それなしにはコミュニティそのものが成立しない重要なものですけれど公的な議論ではまったく出てこない。
北原　残念でしたね、復興構想会議で拒絶されてしまったっていうことは。
赤坂　玄侑さんがしつこく何度も質問したんですが。
北原　民俗学者が復興構想会議に入ったってこと自体を、評価するべきだと思います。
赤坂　ふつうありえないですね。
北原　ありえたわけだから。すごくいいことでしたね。

熊本の五木村
熊本県南部、球磨郡の山岳地帯の村。村の総面積九割以上が山林。日本有数の急流河川・球磨川流水をめぐり、一九六六年に川辺川ダム建設計画が発表されると、水没予定地の五木村は「ダム絶対反対」を表明した。話し合いが続き、建設は未着工となっている。

現場にいかないと何もわからない

赤坂　役には立たなかったですけど、でもいろんな現実を目撃しましたね。こういうかたちで世の中は動くのかっていう。この本（『安政大地震と民衆　地震の社会史』）ひとつあげても、災害史研究者がフィールドワークをおこなう、それを本格的にはじめられたのは北原さんなんじゃないかと思います。歴史の分野で文献だけを見ている人たちが、いまそこでおこっている震災の現場にいくことで、文献の読みかたが変わると思いますね。それをほんとうに北原さんは身をもってやられたと思います。
北原　自覚はないですけど、とにかく、現場にいかないとわからない。
赤坂　わからないですよね。わたしは福島県立博物館の館長だったので震災後にシンポジウムなどいろんなものを立ちあげ、震災遺産の展示をしてきました。総合博物館なので考古、歴史、民俗、美術、自然、保存、ぜんぶの学芸員がいます。分野を越え文理融合の動きをあたりまえにできた。それはあなたのところだけだといわれたことがありますが、いろんなことができるわけです。震災遺産というかたちで保存するっていうあたりまえのことでも、たとえば震災で動いた断層をそのままに保全するとか。考古学の展示では、貝塚の断面を見せる手法があるのです。そういう手法で自然の学芸員と考古の学芸員があたりまえに共同して保全活動にとり組んでいました。震災遺産ということばそのものがあたらしくて、あたりまえじゃないですよ。遺産、文化財とはいっても、たんなる被災したガレキの一部ですよ。たとえば壊れたポストを保全したいと思った時、そのポストをめぐる地域の人たちの記憶の掘りおこしを必ずする。そうしないとそれはたんなるゴミなんですよ。そういうものをたくさん集めて、それにまつわる語りを収集して横におくことを一生懸命やっていました。震災のあとに北原さんはフィールドに入って聞きとりをする時、地震の供養碑や石碑の調査をされましたね。

北原　そうですね。まえに調査して状態がわかっているから、石碑が倒れたかなと心配でずっと二年くらいかけてまわりました。自分では車を運転できないし、存在していたはずの場所になくて、ほかに移動していたりする。まえに調査した人じゃないとわからないから、東北大で津波学の首藤伸夫先生の助手をされた卯花政孝さんにお願いしていっしょにまわりました。気仙沼市大島には、英語の碑があります。

赤坂　そうですか。

北原　どうしてだろう、と思ったけれど。

赤坂　牡鹿半島だったかな、東日本大震災後の二年目に三・一一のころに数日かけて、半島のもっとも奥まで入って、海抜十数メートルのところにある石碑が倒れていることを確認しました。あるいは、女川原発に近い海際の一〇メートルくらいの崖のところに建てられている二階建ての小学校の屋上に、津波で流されたガレキがありました。その学校のすぐ横に碑がたっていて、それが昭和のものなのか明治のものなのか忘れましたが「ここまで津波が到達した」と。だから逃げろ、その教えは守られました。

北原　「逃げろ」ときざまれた碑は、昭和三陸津波のものです。

赤坂　そうして昭和の津波の教えは生きていて、そのエリアの人たちはほとんど逃げて助かっている。小学校の子どもたちも無事でした。ところが今回の津波はそのレベルじゃなかった。その数倍の高さまで津波がきていた。そこを見てから、ゆるやかな高台のほうへと車を走らせたのです。海から数キロも離れた山の奥のガソリンスタンドでガソリンを入れていた時、ふと見あげたらガソリンスタンドの天井のそばに線があって、もしかしたらと尋ねたら「ここまできました」といわれました。海は見えない場所です。そのエリアは家が流されて、犠牲者も出ている。海際の石碑の周囲の人たちはいっせいに逃げて助かっている。今回の津波は、これまでの明治とか昭和の記憶のレベルではなかった。山の傾斜地で三、四メートルの高さの壁掛け時計のあたりまできた、といわれて。

北原　文章のなかで完結してきちんと論じればいいっていう感じね。でもわたしは六〇年代の人間なんで、だから来年八〇歳だけど、安保闘争や学園紛争のような動く現実が好きなんですね。フィールドワークを、歴史の人たちはあまりおこなわないですよね。

牡鹿半島
宮城県北東部、三陸海岸の最南端の半島。西は石巻湾、東は太平洋に面している。

山奈宗真のフィールドワーク記録

赤坂　分野はちがいますけど、中世史の井上鋭夫さんの仕事なんかを見ていると、文書を読むだけじゃなくて徹底的に歩いて寺院とか調査しています。石碑を調査する、聞きとり調査する。北原さんも聞きとり調査をやっていらっしゃいますが、山奈宗真がまさにそれをやっていましたね。

北原　そうですね。

赤坂　東北出身で、遠野にもかかわっている。

北原　山奈宗真はほんとうにぜひもっとみんな注目してもらいたい人です。

赤坂　すごい人ですね。山奈の集めたデータにかんしてはあらためて評価が必要ですが、わたしからするとあそこであげられているテーマや調査項目は民俗調査のものです。

北原　そう、たんなる津波の被害調査じゃないですね。

赤坂　調査項目が並んでますけど、これは柳田國男がつくった民俗調査の項目リストじゃないかと思うくらいです。この『明治二九年　三陸沿岸大海嘯被害調査記録』のような調査をすべきだと思いますね。

北原　ほんとうですね。この時代に彼がおこなったことを調査していて、明確になったことがあります。農商務省に前田正名《まさな》という人がいて、エリート官僚でフランスのパリで内国勧業博覧会やった時、事務官長をやった。日本の政府から派遣され、その経験をもとにして日本で内国勧業博覧会を企画した人です。内国勧業博覧会は日本の明治期の産業をおこす核になるという強い信念の人であったようですが、陸奥宗光が大臣になった

井上鋭夫
歴史学者。一九二三―七四。石川県生まれ。中世の生活、宗教、戦乱、海洋文化の総合的な研究で史料編纂につとめた。著書に『一向一揆の研究』、『山の民・川の民　日本中世の生活と信仰』など多数。

山奈宗真
一八四二―一九〇九。岩手県遠野町生まれ。蚕種や牧畜業などを営み、維新後の地域の産業育成に腐心。明治三陸津波の発生により、岩手県庁の嘱託の辞令を得て、被災地調査を単独でおこない、四年後に『三陸沿岸大海嘯被害調査記録』を完成。岩手県がこれらを活用しない現状から、明治三六年原本および関係書類を東京図書館（現国立国会図書館）に寄贈。遠野市教育文化振興財団『遠野の生んだ先覚者山奈宗真』（一九八六年）には、山奈の年譜、津波調査以外のくわしい履

時に、前田の情熱的狂熱体質と折り合いが悪く、放逐されてしまう。治外法権を解除して不当な関税を撤去するという要求が強い時代で、彼は内国産業をおこし、いい製品をつくって売りだすために日本の興業の改革が必要であると考えていた。しかし、松方デフレの時期で、それに遠くおよばない現状を『興業意見』としてまとめたわけです。それも農商務省では書きかえられてしまったという経緯があり、前田が意図した内容は正確には伝わっていない。農商務省を免官になったあと、奮起して全国を行脚する。着物の姿で腰を端折り、脚絆に編笠スタイルで全国を行脚する。この行脚のスタイルに彼を支えようとする信奉者もあちこちにいたわけです。山奈宗真もコミットしています。前田正名は農商務省の管轄領域である産業のさまざまな調査をいろんなところでやっていて、その調査項目を、山奈宗真は蚕糸組合委員や勧業委員などとして見ていたはずで、調査はこういうものでなくてはならない、と勉強したのではないかと思いますね。

山奈宗真は、牧羊とか牛の種つけなどにすごく一生懸命です。わたしは津波調査ばかりに注目していて、以前は彼の多方面の活動を注視していなかった。彼自身はもうちょっと広く遠野だけでなくて、岩手県の産業をどういう方向へもっていきたいかというビジョンをもっていた人物だった。だけど、漁業はまったくやっていなかったが、明治三陸津波がおきて、これはやらなきゃいけないと調査する。そして一か月半くらいかけてひとりで被害地を調査して、その後三年かけて、津波被害地はどういう漁業の回復を望んでいるのかについての報告書をつくる。内国勧業博覧会に便乗するかたちで、水産博覧会を同じようなスタイルでやろうっていう時に、山奈は自分が調査した津波の調査報告を出品して、大臣が津波の被害地の惨状を知り、このような復興の道があるということ

歴が紹介され、地元の有識者による座談会が収録されている。

柳田國男
日本民俗学の創始者、作家。一八七五―一九六二。兵庫県生まれ。国内を旅して、日本の風俗や伝説、民話を調査。目に見えない日本人の精神性を追求し、日本の民俗学を確立。代表的な著書『遠野物語』は、岩手の農村のゆたかな伝承を収録している。ほかの著作に、『蝸牛考』、『桃太郎の誕生』、『妹の力』、『海上の道』などがある。

『明治二九年　三陸沿岸大海嘯被害調査記録』
山奈宗真、卯花政孝解読、太田敬夫解読、東北大学工学部津波防災実験所、一九八八年

前田正名
一八五〇―一九二一。薩摩藩出身。維新直後（一八六

をわかってもらえれば、三陸津波被害からの回復はできる、と思ったみたいね。そういうつもりでこの調査をしたと思うの。だから岩手県庁にそれを差しだして、ともかく水産博覧会に出すために完成したいからと、再調査の費用を要請したところ、そういう予算はないと蹴られる。それでもあきらめきれず、彼は自分で水産博覧会に調査報告書を出品しました。山奈は岩手県から嘱託という辞令をもらい、岩手県から指名されていた農業委員や畜産委員など、すべての役職を辞めて現地調査に出かけたのに、その調査報告書が岩手県庁ではなく、なぜ明治三六年に国立国会図書館（当時は東京図書館と称された）に収められているのか不思議で、長いあいだこの謎が解けませんでした。しかし、その理由がこれでわかったのです。水産博覧会に出して大臣の目にふれ、宮内庁にとどけられ、天皇に献納したいというのが彼の最終的な意図だったみたいです。ただ津波の被害を調査するというだけではなくて、それをどうにかして政府のもとにとどけて、三陸漁業の回復をはかりたいと山奈は考えていたのだということが確信できたので、今回そのことを論文に書きました。山奈はそれなりに大きい枠のなかで、津波被害の漁村の再興を考えていたということがわかったのです。遠野の市立図書館に山奈家文書があるので、図書館の前川さおりさんの手をわずらわせたところ、あたらしく関連史料もわかりました。前田正名に関係するものもけっこうあったんです。そんなわけで、山奈宗真についてはもっと評価してほしいと思っています。

赤坂　明治という時代には官僚のなかにも民間人のなかにも、妙にスケールの大きい、しかも足元をフィールドワークできちんと見ている人たちがいて、とてもいい仕事をしている。でもそれが受け入れられていないですよね。

九年）にフランス留学、パリ万国博覧会の雇員となった経験から、帰国後の勧業推進事業の一環に位置づけられた博覧会構想に農商務省の官吏としてかかわった。

松方デフレ
一八八一年大蔵卿に就任した松方正義がとった財政政策。西南戦争後の大隈財政のインフレーションを是正、デフレ政策に転換させた結果、物価や金利が低下し、商業、農業、とくに養蚕、製糸などの農村工業を圧迫、農民は没落して都市へ流入あるいは小作人化をはやめた。その結果、自由党・困民党などの自由民権運動を支持する農民層が増え、とくに養蚕地帯では激化事件が頻発した。

『興業意見』
松方デフレ下の農村の惨状に危機感を強くした前田正名は「人民生活ノ有様ハ衣食住共ニ十分ナラス、人ニ

北原　そうですね。

赤坂　山奈宗真の調査のなかに漁民風俗という項目があって、とても興味ぶかいものです。「祭事婚姻家庭ノ状況」という項目で、祭事は寺や神社の祭りや行事です。「漁民ノ禁物」はタブーですね。「食物」「衣服」「漁民衣食供給ノ時季」「被害町村漁民年々北海道及其他出稼ノ状況」、ほかに気になっているのは「良習慣ト不良習慣トノ種類」、これらまさに民俗調査ですよ。

【漁民風俗】
一、祭事婚姻家庭ノ状況
○祭事ハ　大漁ニハ臨時村社ニテ行フ事アリ、溺死者アレハ僧侶托シ施餓鬼ヲ行フ、神官ニ托浦祭ヲ行フ
○婚姻ハ　山手ノ農家、海濱ノ漁家モ嫌へ無
○家庭ノ状況　本町　漁民、商民、農民輻輳ノ地、且鑛山雇夫多キ為メ　一定ノ家庭状況　記スル能ハス、漁民ハ、夫　海ニ漁シ歸帆、漁獲物ヲ調理製造、販賣等ハ婦ノ業ナリ、家事の業務　需用供給モ皆婦ノ業ナリ
二、漁民ノ禁物
○猿ヲヱヒシト云、蛇ヲ長虫ト云、産婦ヲ忌ム、死亡者ヲ忌ムナリ、本町ニハ従前ヨリ　一新の初メマテハ沢村ニ産室アリ、漁民ノ妻分娩期ニ至ルト此一小家屋ニテ出産セシム
三、食物

シテ未タ人ト称スヘカラサル者多シ」として、人民の実力を増進して国力を増す指針を示す未定稿『興業意見』を著した。しかし、当時の大蔵大臣松方正義の政商を中心とした大資本への資金融通案と対立、まったくその趣旨が書きかえられた定本『興業意見』が公にされた経緯がある。

論文
「山奈宗真像の再構築」（東北大学災害科学国際研究所編『歴史が導く災害科学の新展開Ⅱ』東北大学災害科学国際研究所、二〇一八年、所収）

漁民風俗
山奈宗真は津波被害地の調査地に入るまえに、あらかじめ調査の項目を用意し、それを岩手県庁の担当部署に提出した。その『三陸海嘯被害地調査目』によれば、漁村の新位置、住家、漁民風俗、漁村制、凶荒調査、

○米、粟、布粉、凶年ハ草根、木皮

四、衣服

○木綿九分、麻壹分

五、漁民衣食物供給ノ時季

○旧盆七月、旧年末十二月、尾崎神社祭礼

六、被害町村漁民年々北海道及其他出稼ノ状況

○年々北海道へ五拾人位　出稼アリ、十二月、四月家ヨリ出、八月、十月歸ル

七、良習慣ト不良習慣トノ種類

○布刈　之レハ、各海岸沖合、期日ヲ定メ採収ス

(「岩手縣沿岸大海嘯取調書」乙、陸前国南閉伊郡釜石町の「漁民風俗」項目より抜出。句点は引用者)

北原　当時、漁業の組合化が話題になっている時だったんですよ。だから漁業組合をつくったら入るか入らないか、それからほかの土地の人がきたらどうするか。現代の東北太平洋沿岸部の漁業の課題と同様に、当時の漁村の課題に彼はすごくせまっている。

赤坂　「漁村制」ということで書いていますね。こういう実際の調査をもとにして議論がくみたてられることはきわめてすくないですね。

北原　そうです。

赤坂　漁業権がしばりになっていて、新規参入ができないってことは実際あると思います。だから漁業権の開放を支持する人たちがいるけれども、実際それを法制化したら巨大な

漁民需要品、海事考、漁村挽回、漁村将来の企望の九項目にわたる。これらの項目を被害町村から聞きとり、『岩手県沿岸大海嘯取調書』にまとめた。漁民風俗はこれらの調査項目のひとつにあたる。山奈がめざしたものは、津波の被害調査ではなく漁村の復興であった。

釜石町
一八八九年、南閉伊郡と西閉伊郡が合併したことにより、上閉伊郡釜石町となる。釜石町は鉱石の産地として日本最初の官営製鉄所がおかれたが、官営工場は田中製鉄所に民営移管され、戦後にいたるまで東北有数の重工業都市として発展した。一時は人口一〇万にたっしたが、新日鉄釜石製鉄所の基幹部分が一九七〇年代に千葉県君津に移転、さらには東日本大震災により、釜石市の人口減少がすすむ。

企業が入りこんで荒らしまわって、おいしいところだけ食べてだめだったら捨てるってやるに決まっている。
北原　そうですね。
赤坂　山奈宗真のような人が、こういう詳細な調査をおこない提言していることは、やはりすごいことですよ。
北原　そうですね。地理学者の山口弥一郎が昭和八年以降調査した『津浪と村』は、翻刻されていますね。それ以前に、山奈宗真の津波被害地の調査があったのです。山口弥一郎は地理学出身の学者で科学的調査をしています。津波が三陸のさまざまな湾の形態に作用されてどこまで侵入するのか、地形との関係を重視した調査をした人ですね。『津浪と村』は今回の東日本大震災で再び脚光を浴びるほどの名著であることはたしかですが、山奈は被害を受けた漁民の声を直接ひろって、彼らがどうしたいのか、どうすれば漁村の復興をはたせるのかを聞きだそうとしていた。わたしは山奈のその点を評価したいですね。どう復興したら的確に漁村が立ちあがれるのかを、山奈は考えていた。山奈が描いたこの絵（大海嘯各村別見取絵図）を、津波学者はシミュレーションして波が巨大すぎるという。そういう判断で山奈を片づけてしまうと、全然意味がちがってしまう。すごく残念です。調査の意図がちがうから、もうちょっと考えてほしい、この本（『明治二九年　三陸沿岸大海嘯被害調査記録』）は、はじめての漁村調査といっていいほど高く評価できると思います。
赤坂　そうですね。わたしはきちんと最後まで見られていないのですが、すごくいいです。ほんとうに先駆者ですよね。

山口弥一郎
一九〇二―二〇〇〇。地理学者。東北三陸海岸の津波の歴史について地理学、民俗学をふまえて研究し、その成果『津浪と村』を一九四三年に発表した。明治三陸津波（一八九六年）、昭和三陸津波（一九三三年）の二度の悲惨な体験後には高台への集落移転をしながらも、再び低地へもどらざるをえない漁村のきびしい生活を分析。本書は東日本大震災後再販され、注目された。

『津浪と村』
山口弥一郎著、石井正己、川島秀一編、三弥井書店、二〇一一年

北原　ぜんぶ聞き書きであるとか、ほんとうに聞いたんじゃないんじゃないかとか、一か月でこんなことできるわけないから何か既存のものを引用したんじゃないかとか、いろいろ疑問視されています。ほんとうのことはわからないけれど、足を運んで郡長や村長からいろいろ聞いていることはたしかです。だけど彼が調査しているものは被害状況じゃないということがはっきりしている。もっと目をむけてほしいなと思っています。津波の話題で彼の名は全然出てこなかったですよ。東日本大震災でも。

赤坂　ないですね。北原さんは赤崎村でフィールドワークされておられ、そこを起点にして災害というテーマを追いかけていらっしゃって、わたしも以前そこを歩いているのでとても共感をおぼえます。神社の宮司さんがコタツにいて、津波がきたので逃げられなかった。家族は逃げていたんです。コタツの上に乗って津波でもちあげられて、天井と水のすきまでなんとか生きのびた。そういう体験をすると寿命がちぢまる。数年もたたずに亡くなりました。

北原　このあたりにいくのは大変でした。わたしは運転できないから車がないでしょう。だから夜池袋から一一時だか九時だかにバスが出まして夜行でいって朝の四時半とか五時に着く。いまのようにコンビニはないですし。

赤坂　何年ごろの話ですか。

北原　一九八五年くらいですか。

赤坂　もう夜行バスはあったんですね。

北原　夜行バスはありましたよ。それから田老のほうへいくのもあり、それだと新橋から出ました。到着時間はちがいますけど、コンビニがないので食べものが買えないですよ。

赤崎村
現在は大船渡市赤崎町。大船渡湾の東側に位置する。明治三陸津波、昭和三陸津波、平成の東日本大震災でも激甚の津波被害を受けた。明治三陸津波襲来当時、九集落、人口三〇九戸、二四九〇人であったが、津波による死者は三九一人（一五・七%）にたっした。

人のうちにいくのは九時くらいだから、寒くて空いた三時間くらいの待ち時間がつらかった。でもね、効率がいいんですよ。いって一日調べ、どこかへ泊まるでしょう。そしてもう一日調べて、こんどはそこの夜行バスで帰ってくると東京に朝着く。東京は五時くらいに着いても電車動いていますからうちに帰れますしね。

赤坂　まだお若かった。

北原　そう、若いといってもすでに四〇歳を越えた年寄りだったんだけど。もういまはできない。昭和の八年を体験した人たちに集まってもらって話を聞くとか。まだ多くの人が存命でしたよ、七〇歳くらいの。それでいろんな話をしてもらいました。そのときのおじさんたちもみんな亡くなってしまいました。蓄えられていた文書とか日記とかも津波で流されたところです。当時は明治二九年の人もひとり生きていて、お会いしたけれど話はできなかった。ほんとうにまれでしたけれども。

赤坂　でもいいにつけ悪いにつけ、今回の東日本大震災は何かを変えましたよ。

北原　そうですね。

赤坂　調査とか研究ということにかんして、北原さんもくり返し大きな転機になったということをいわれていますね。たしかに民俗学の人間たちも災害にかかわることをだれもやっていなかったですけど、ようやくはじまりましたね。

北原　そうですか。赤坂さんがはじめてはじめられたのですか。

赤坂　いや、わたしは正直にいうと災害民俗学の調査をしているわけじゃないのです。川島秀一さんとか何人かのかたが災害民俗学をはじめられていますし、考古学でも災害考古学にいく人がいたり、歴史学もようやくフィールドを意識しながらの研究がみられる

川島秀一
東北大学災害科学国際研究所、人間・社会対応研究部門、災害文化研究分野に所属する。「災害文化」を「人間と自然の付き合い方」ととらえ、防災に役立つ取り組みをおこなっている。

ようになり、確実に転機にはなったと思います。しかしだれも山奈宗真のレベルにはとどいていないと思いますね。あの時代の学問、あの時代の知は、あたりまえに総合的なものをもとめていますが、われわれは学問が分割されてしまった時代に生かされていますからね。巨大な災害にむかいあう時に、歴史学だから、民俗学だから、地震学だから、などといっていたら意味をなさないですね。あらためてこれから、もう一度災害にかかわる知とか学問を再編していくことが必要なんじゃないでしょうか。日本列島には、巨大な災害がたびたびおきていますからね。またくるのがわかっているわけで、その準備にもなり、これまでに蓄積された知恵とか技を継承していくためにも、七年八年経てようやく落ちついたところで、再び勉強会なり研究会なりを組織していかないといけないと思いますね。

北原　そうですね。赤坂さんも民俗学で立ちあげることがどういうことかっておっしゃっているし、わたしは赤坂さんの『震災考』をしっかり読めたわけではないけれども、読んでいくうちにどんどん共感する本ですね。

赤坂　わたしは原発なんか全然興味なかったし、民俗学と原発なんて研究テーマとしてありえないと逃げてきたのですね。おこってしまった現実のなかで、わたしは一年半ほど毎週のように被災地を歩いていた。しかし調査しているわけじゃなくて、何がおこったのか、何がおこっているのかを見ておきたいとの思いだけで歩いていました。自分が震災のフィールドで見たこと、聞いたこと、感じたことは絶対これから生きるはずだと信じてはいます。まだそれをかたちにできないですが。

北原　赤坂さんは文章がうまいですからね。わたしは事実をきちんととらえようということだけだから、だめなんです。

赤坂　いやいや。逆にわたしは調査にはならずに、見て感じたことばかりをけっこう書いているんですよ。

北原　そんなことはないです。柳田國男はことばがきれいすぎて、その奥にあるものまで見えてこないです。すごい教養人がものをいっている感じがして。わたしのまわりには民俗学者って多いですよ。宮田登さんも、同じようなことをいつもおっしゃってた。

赤坂　宮田さんはいそがしすぎたのでしょうね。宮田さんは背負いすぎていました。

北原　そうですか。

赤坂　晩年は見ていて痛々しかったです。もうちょっと長生きしてくださったら、と思わずにいられません。わたしはアウトサイダーといわれていますから。

北原　でも『象徴天皇という物語』あれは名著ですね。

赤坂　ありがとうございます。うれしいです、三〇代なかばに書いた本です。

北原　そうですか。すばらしい本、いまもとめられている本ですよ。

赤坂　うれしいことに、岩波現代文庫から来年（二〇一九年）四月くらいに出してもらえます。若いころの仕事で、よくおぼえていないですけど。

北原　でも若い時の仕事ってぜんぶ自分の本質が出ていますね。あんまりまわりのことを気にしないで書くから。

赤坂　気にしてないですし、わたしも北原さんと同じようにずっと在野の人間でしたから。大学の教員になってからも、あまりアカデミズムとつながりがないところで仕事していましたから、けっこう自由ではありますね。

宮田登
一九三六―二〇〇〇。民俗学者。筑波大学教授、神奈川大学教授を務める。著書に『白のフォークロア　原初的思考』『日和見』（いずれも平凡社）、『ミロク信仰の研究』（未來社）、『宮田登　日本を語る』全一六巻（吉川弘文館）などがある。歴史学・文化人類学・現代社会現象などとのかかわりのなかで民俗学を展開した。

『象徴天皇という物語』
筑摩書房、一九九〇年（岩波現代文庫、二〇一九年）

北原　いま寺院のことを調べていて、明治の初期の寺院というか坊さんは非常に多様ですね。明治の初期の宗教政策では神道は宗教ではないとして国家神道として位置づけられ保護されたのに反して、仏教はかつての江戸時代のように公に守られることはなくなって、受難の時代でした。信教の自由は認められたとはいえ、寺に生まれ、寺に生きる仏教徒の道はかんたんでなかったと思いますよ。濃尾地震後、被災した人びとを癒やすために**濃尾震災紀念堂**を建てた天野若圓という真宗の僧侶がいました。信仰というような正体のないような見えないものをたしかなものにするためには、とにかく、飽きることなく説教をするということであったらしく、毎年、春秋二回、岐阜の山ぶかい農村部をまわるのですね。この人の宗教活動をみていると、じつにしげく農村をまわり、仏教を説いてまわっていたようです。思想的な高みを築いた人物というわけではなく、その演説の詳細はわかりませんが、基本は、天皇と国体を守るべく、仏教を説いてまわったということであったようです。その結果、一時は愛国協会という仏教団体の会員は公称二〇万人ともいわれ、国会議員になったりしますが、彼の基本線は政治活動ではなかったのではないかと、いまのところは考えています。天皇を中心に**国体護持**を標榜するという点は、現在からみれば「保守、反動」ですが、明治になるまえに生まれ、明治の激動期に仏教を守りぬくためには、天皇と国体護持を説けば、政治的糾弾を受けないですむというような計算も働いていたのではないかと思います。

明治初期から中期にかけて制度的にも揺れのはげしい時には、地域に埋もれた人物がたくさんいたと思われます。山奈宗真と天野若圓の活動スタイルは相当にちがいますが、この時期ならではの共通する時代と格闘する姿が浮かびあがるような気がします。

濃尾震災紀念堂
岐阜市若宮町二丁目に所在。天野若圓が震災の遺族を慰撫する目的で一八九三（明治二六）年に建立。いまも遺族が維持保存する。

開堂式の濃尾震災紀念堂（濃尾震災紀念堂所蔵）

国体護持
第一回帝国議会開設に際して、日本は侵すべからざる神聖な存在である万世一系の天皇が統治する国家とする帝国憲法が発布され、さらに教育をつうじて天皇への忠君愛国の国民的道徳を

赤坂　これからどういう時代になるかはわからない、わたしたちはいなくなるけど。

北原　先生の本を読んで、こういうことか、といろいろ考えて、刺激をいただきました。

赤坂　北原さんのことばです。「いま起きている現実こそ、つまり、東日本大震災こそが災害社会史研究にとって導きの師である」（『津波災害と近代日本』吉川弘文館）こういう謙虚なスタンスからさまざまな知や学問が災害研究にむかうと、共同研究も可能で、あたらしいつぎの災害に備えることもできると思います。

北原　ほめていただいているようだけど、全然そのつもりはないです。定職がなかったですから。

赤坂　そうですね。男性優位のアカデミズムの社会では、女性で災害史研究というのはきわめてめずらしいですからね。

北原　そうですか。でも自由ですよ。先生もおっしゃっていたように、どこかの組織にも属していないし、お師匠さんがいるわけでもないから、自分のわからないことを自分の疑問で調べ考えられます。

赤坂　すごく大事ですね。わたしもまったく同じです。師匠もいないし、だれに遠慮する必要もないし、自分にとってそのテーマが必要だからつっこんでいく。北原さんも同じだったんですね。だからこれまで、ある意味では歴史研究のたりない部分、すきまを研究できたんですね。でもほんとうはすきまじゃない。そこにこそほんとうに大きな総合的な学問の芽があるとわたしは思いますね。鯰絵だけじゃなくて、アナールの社会史的なものは一九六〇年代、七〇年代にはすごくにぎやかだった。その影響ももちろん受け

徹底することを主眼とする教育勅語が発布された。政治形態と精神的支柱の両面から、国体としての天皇制が護持された。戦後、旧憲法下国家の統治者であった天皇は新憲法によって象徴的存在となり、教育勅語は戦後の一九四八（昭和二三）年国会において失効決議された。

アナール
アナール学派のこと。二〇世紀に大きな影響力をもったフランスの現代歴史学の潮流のひとつ。アナールは「年報」を意味し、現在も刊行されているフランスの学術誌。それまでの歴史学は、ナポレオンなど大人物の叙述になりがちだったことを批判し、民衆の生活や社会全体をとらえよと訴えたもの。

られたと思います。どうして北原さんの『安政大地震と民衆』っていう研究が出てくるのかは、あきらかにそこだと思います。所属していないゆえの自由さなんだ。

北原　そうですね。先生もいないし。大学では勉強はしたけれども、みんなと同じようなことには興味がわかなかった。

赤坂　わたしは大学ではインド哲学ですが、なんにもそこでは学ばなくて、完全に独学です。師匠もいないし民俗学ももういいかなと思ってやめちゃいました。

北原　でももとに帰っているんじゃないですか。

赤坂　わたしのもとはどこかわからないです。北原さんのご研究は絶対にのこっていくいいお仕事だと思います。

北原糸子（きたはら・いとこ）

本書ではじめて災害史を「フィールド科学」と位置づけていただいたことはとても新鮮でうれしい。災害史調査として最初のフィールドは明治三陸津波の被害地、大船渡市赤崎町合足《あったり》集落でした。明治三陸津波当時は、「あったりなかったり」といわれた一三戸一二九人。このうち津波で七八人が死亡、つまり集落の半分以上が津波で流されました。一九八〇年代の当時も一三戸でしたが、古内家は明治の津波で八人の家族が死亡、二歳の長左衛門氏がひとりのこされ、その長男（昭和六年生まれ）の武志氏から、親から聞かされた話をうかがうため、何回もお宅にかよいました。今回の津波被害はその息子さんからおうかがいしています。

＊　＊　＊

■わたしの研究に衝撃をあたえた一冊『千年王国の追求』

四〇年以上まえに読んだノーマン・コーン『千年王国の追求』をあげたい。まだ、災害史を志すなどの気もなかった時であったが、ペストが蔓延した中世ヨーロッパで、惨禍のなかで民衆が神の降臨を希求する自然発生的な動きがわきおこる現象を資料の飽くなき追究で描ききった姿勢に、歴史を語るとはこういうことかと感動をおぼえた。日本でも、江戸時代の宝永、明和、文政と六〇年ごとに発生するといわれた「お蔭参り」が丁稚小僧の伊勢への抜参りからはじまるとする史料と重ね合わせて、納得できた。

ノーマン・コーン著
江河徹訳
紀伊国屋書店
一九七八年

Ⅱ部

風景と時間　リサーチからレガシーへ　――港　千尋
福島県立博物館の試み
東日本大震災八年目の春にふり返る　――川延安直

風景と時間　リサーチからレガシーへ

——港　千尋

はじめに

写真は見えないものを見えるようにする、ヴィジュアリゼーションの基本的な道具である。それは西欧で発達した遠近法や光学の歴史にはじまり、近代の合理主義を前提にしながら、一九世紀後半には科学と芸術に大きな影響をあたえてきたという意味で、知のインフラストラクチャーともいえよう。だが「災害とアート」というテーマをあつかうとなると、そのインフラから考えなおす必要が出てくるように思う。**東日本大震災と福島第一原発事故**以降、わたしはそれまで続けてきた写真や、それを培ってきた歴史だけではとらえきれない世界に入ったと感じるようになった。

その理由のひとつは、事故直後からわたしたちが目にするようになった特殊な地図である。それは原発を中心点に同心円が描かれた東日本の地図であるが、掲載されるメディアに応じて日本地図であったり東アジア全域から世界地図の場合であったりした。同心円状のサークルとともに示されているのは放射線量とその分布で、多くの場合はカラーで表示されていた。これがすくなくとも一年のあいだ、新聞に毎日掲載されたのである。

東日本大震災と福島第一原発事故
二〇一一年三月一一日に発生した日本の東北地方太平洋沖の地震。地震による巨大な津波が東北と関東の太平洋沿岸部をおそい、甚大な被害をもたらした。地震と津波の影響で東京電力の福島第一原子力発電所では電源が喪失し、炉心溶融（メルトダウン）をともなう深刻な原子力事故が発生した。

それはさまざまな種類の測定の基本となる地図であり、放射線の値もこの地図を使って表示されていた。同心円状のサークルが描かれた地図は、原爆投下後の長崎・広島における、爆心地からの距離を示す地図を強く想起させる。日本をふくめ各国のメディアが放射能サークルの地図を掲載しつづけたことは、わたしには忘れられない出来事だった。個人的には、この同心円状の地図は、リサーチと測定の意味を考える時にさけては通れない図式となった。

だが震災発生から一か月もたたないうちに、この同心円状地図の「意味」が問われることになった。原発からの距離と放射線量の値が一様に比例しているわけではないからである。放射線の値を決めるのは、山や谷の地形、大気の動きや気象条件、さらに自動車道の位置や交通量である。可視化の地図のおかげで無用な被曝をさけられた場合もあれば、〇〇キロメートル離れているから安全という思いこみが原因で被曝してしまう可能性もあった。そこでは可視化の限界とはべつに、可視化された図式を読解するための知の問題が生じていたのではないかと思う。

もともと遠近法の歴史は測地や戦略の歴史でもある。その特徴は、空間を透明で均一なものと仮定して、主体と任意の点を想像の糸でむすぶところにある。「理性の空間」と呼ぶべき空間が、「世界」と同一視される。放射能の影響を説明するために公式に採用された同心円地図も、その前提にはこの均一空間があるだろう。

こうした状況のなかで頭に浮かんだのは、マルセル・デュシャンの作品『3つの基準停止器』である。一メートルの紐を一メートルの高さから落下させた時にできた偶然の形を「単位」とするというこの作品は、芸術に偶然性あるいは予測不可能性をとりこんだ先駆

マルセル・デュシャン　一八八七—一九六八。フランスに生まれ、二〇世紀以降の芸術に大きな影響をあたえた美術家。『泉』や『彼女の独身者たちによって裸にされた花嫁、さえも』（通称「大ガラス」）といった作品で知られ、美術の概念そのものを問うような活動を続けた。

的な例として知られる。後述するように、二〇一一年以降さまざまな「測定」と「予測」が、建設から再稼働にいたる日本の原子力政策の現場で実行されるようになった現実のなかで、わたしはあらためてデュシャンがその作品に「停止」ということばを入れたことを考えるようになった。

本稿では「アートと災害」を考えるうえで重要な「時」の問題をあつかい、災害によって断絶された時間と記憶をどのように継ぐことができるかを、いくつかの事例をとおして考えてみたい。具体的には同心円図式の中心、原発立地地域にある福島県**大熊町**の風景のなかに探ってみたい。

I 災害《デザストル》と秩序

人類のもっとも古い時代に記憶の一部としてきざまれた出来事、それは災害である。旧約聖書の大洪水は世界各地にのこる洪水神話に連なっている。大河の岸辺に誕生した文明にとって、洪水は肥沃な大地をあたえたという点で、原体験的な意味をもつ。周期的におとずれる洪水とはべつに、気候変動による温暖化や寒冷化、火山の爆発、大地震、隕石の墜落といった災害もある。こうしたとつぜんおきる変化が、人間に予兆を読みとる能力を要求するとともに、占いや予言の技術を発達させた。それは デザストル disaster ということばが語源的に星占いを含意していることからも、あるいは**粘土板文書や甲骨文字の記録**からも知られるとおりである。

古い時代において、そうした技術と芸術はひとつのものだったのだろう。通常はだれの

大熊町
福島県浜通り双葉郡に属する町。東京電力福島第一原子力発電所の一号機から四号機が位置し、原発事故後の二〇一一年四月から翌年一二月まで警戒区域に指定され、町民の立ち入りが全面的に禁止されていた。

粘土板文書や甲骨文字の記録
古代メソポタミアで楔形文字をきざんだ粘土板には天文学や数学と並んで、占いの内容の記録が知られている。また漢字の最古の形とされる古代中国の甲骨文字は、王が祭祀などでおこなった占いの内容をふくむ甲骨文に使われている。

目にも見えない微細な変化に気づき、そこに兆候を読みとる技術は、目に見えない世界を知覚できるようにする芸術とともに、同じ根から発生した。この点で「災害とアート」はきわめて今日的なテーマであると同時に、古い時代に根をもっているといえよう。

災害は通常、人間の存在を前提とする。地震や水害など人間に影響をおよぼすのが災害であって、だれも住んでいない場所で地すべりがおきても、それは災害とは呼ばれない。災害と呼ばれるのは、それがふりかかったコミュニティの対応能力を大きくこえるような自然現象、たとえば台風や津波などで甚大な被害が出る場合であり、たとえば季節的におとずれる高潮や個別の火事も、ふつうは災害とはいわない。火山の噴火や大洪水などの大規模な自然現象を災害と呼ぶのは、あくまでそれが記録された有史以降ということになり、その意味でも災害は人間の時間、すなわちそれを記憶し記録できる人間の時間を前提とすることになる。

これを常識とするなら、その常識に揺らぎが生じているのがわたしたちの時代ということになる。後述するように、それは今日の災害をとらえるための全体的な位置づけがじょじょに変わってきたからである。自然災害と人災とを区別してきた従来の視点を変化させなければ対応できないような複合的な災害が増えているからでもある。いま災害を考えるフレームワークは、空間的にも時間的にも変更をせまられているといっていいだろう。

いっぽうアートのほうはどうであろうか。アートも通常、人間の存在を前提とする。それがどんな形態であれ、直接・間接を問わず人間が制作した作品を通常アートと呼ぶ。人間にはとてもまねのできないメロディーをさえずり、おどろくべき形態の巣をつくる鳥は知られていても、それらは比喩的に芸術、あるいは芸や技術と呼ばれるだけであり、たとえばその鳥が作家として現代アートに貢献しているとは、ふつうは考えない。だが災害との関係においてみると、やはりアートのフレームワークも再考の必要がありそうだ。それは作品や表現のレベルや、ＡＩの登場によって議論されるような制作者の問題ではなく、自然との関係、とくに力と秩序あるいは無秩序との関係である。

天変地異ということばが示すように、大災害の本質は人知がおよばない規模の力にある。それは世界を「歴史以前」にもどしてしまうようなおそれを引きおこす。空間だけでなく時間的な秩序も無化する状態は、カオスや渾沌ということばでしか表現できない。人間がそうしたどんな秩序もなぎ倒してしまうような災害に、超自然的な存在を感じたのも無理はない。それは積み重ねてきた技術や知識も役に立たない圧倒的な力である。もし人間にのこされたものがあるとしたら、それはカオスや渾沌のなかにべつの秩序を見る力ではないだろうか。アートはいくつかの点でこのような力を内在している。

ここではかんたんに述べるにとどめるが、アートが内在化した力は、その過剰さと予測不能性に由来している。予測不能性については説明の必要はないだろう。あらゆるアートはその本質において予測不可能なものである。歴史のなかで規則やスタイルをつくりあげては壊し、またつくりなおしては壊してきた。撹乱によって引きおこされる混沌とした状態は、古いスタイルを放棄し、きたるべきものの形を予感させる。それはひとりの制作者のなかでもおきることであり、つくっている本人にも予測ができない状態は、必要なプロセスとさえいえるだろう。

こうした予測不可能性は過剰さときりはなすことができない。たとえば後期旧石器時代に見られる動物の絵や記号のような形は、今日でも意味はあきらかになっていない。その最大の理由は、人間の生存にとって必要な行動でない以上、その目的が理解できないからである。縄文土器のおどろくべき装飾は、その過剰さでわたしたちを圧倒する。秩序がないのではなく、必要以上に秩序がある。あるいはカオスをカオスのままとらえることはできないから、アートは秩序の過剰さをもって対応するのだともいえるだろう。

こうした過剰さと予測不可能性は、社会が安定した時期よりも、むしろ不安定な時期に見えてくるように思うが、それは大災害にたいしてアートに何ができるかという問いとは無縁である。たとえ火山が爆発するメカニズムが完全に解明されたとしても、アートが生まれた謎は解明されないだろう。すくなくともそれは自然界においてもっとも弱い存在としてのヒトにのこされた、数少ない可能性として生みだされたとしかいえないだろう。

Ⅱ　災害の時間・アートの時間

災害との関係において論ずるにあたって、アートを以上のような後期旧石器時代という古い時代から話をはじめた理由は、東日本大震災とも関係がある。震災後に被災地へのエールやメッセージが国内国外から送られたが、それらのなかに福島からもアートをつうじてエールをおくる動きがあった。数か月後のことで、地震と津波そして原発事故という複合災害の全容はまだはかり知れない段階だった。わたしが送ったのは、ネガティブ・ハンドと呼ばれる人間の手の痕跡の写真だった。世界各地の洞窟や岩絵のなかにのこされている人間の掌のイメージである。アートの起源にのこされた痕跡でもあり、創造性や共同性を想起させるイメージだが、それを選んだもうひとつの理由は時間にあった。

福島第一原発事故からしばらくたって、わたしたちの日常に聞きなれない時間の単位が現れた。おもに**放射性物質の半減期**を表す数字である。ヨウ素131約八日間、セシウム134約二年、セシウム137約三〇年という数字と並んで、プルトニウム239は二万四〇〇〇年……などという数字がほかのニュースに並ぶようになった。ふつうの感覚では理解できないような時間の単位にたいして、わたしは後期旧石器時代の時間を思い浮かべた。二万四〇〇〇年前はオーリニャック期と呼ばれる時代で、南フランスの洞窟壁画などにこの時代にふくまれるものがある。ちなみに**ラスコー洞窟**が描かれた時代はマドレーヌ期と呼ばれ、オーリニャック期よりも約一万年あたらしい時代となる。こうした数万年単位の「美術史」は日常的な感覚では理解できないのだが、すくなくともホモ・サピエンスの文化の範囲に収まる「痕跡」としては、それくらいしか思い浮かべられなかったこともある。

原発の過酷事故による放射能汚染はきわめて特殊な例ではあるが、一般的に自然災害は日常的な感覚をこえたスケールを導入する。大地震の「千年に一度」という表現もそのひとつだが時間だけでなく、空間的にも日常感覚からかけ離れた範囲や力が災害の数字となる。感覚的に把握できない事象は記憶に定着されにくいとすれば、「天災は忘れたころにやってくる」ということにもなるだろう。時間は相対的なもので、一〇〇〇年のむかしも「つい昨日」のことということもできる。たとえば震災後盛んにとりあげられた、百人一首の歌もそうである。

契りきな　かたみに袖をしぼりつつ　末の松山　波越さじとは

「末の松山」が現多賀城市八幡にある寶國寺裏の丘と見定めた、『地名辞書』の著者**吉田東伍**は、**貞観地震**についても、震源が内陸ではなく沖合だったことや、津波の痕跡がほか

放射性物質の半減期
放射性物質が崩壊して、放射能がもとの半分になるまでの時間を半減期という。放射性物質の種類によってことなる。

ラスコー洞窟
フランスの南西部、ヴェゼール川の渓谷にある洞窟。スペインのアルタミラ洞窟と並び、旧石器時代芸術の傑作といわれる洞窟壁画で世界的に有名。

契りきな　かたみに袖をしぼりつつ　末の松山　波越さじとは
（現代語訳）あなたとは約束しましたのにね、おたがい涙に濡れた着物の袖を絞りながら。末の松山を波が越すことなどありえないように、けっして心変わりはしないと。

吉田東伍
新潟県出身の歴史家。日本初の全国的地誌として知ら

にも存在していただろうことを推論した。つまり歴史地理的な感覚をもっていた人間には、現在の風景が変わっていることを理解できたのである。

吉田はこんなことを書いている。

「こんにちは全く港の形状を備えて居らぬが、それには沿革があることである。即ち、仙台藩祖の貞山堀（運河）を造られしために、此海口、埋塞したのである。[1]」

そのことは震災まえにも知られていたが、さかんに引用されることになったのは震災後のことだった。それは東日本大震災の津波がそこまできても、丘の上の本殿やうたわれている松の木が無事だったからである。一〇〇〇年まえにもそこが無事だったことが記憶にのこり、それが歌枕として伝えられたということになる。

だがもしそれが古文書の記録だけだったら、はたしていい伝えられただろうか。恋の歌のなかにとりこまれ、芸術の一部となったから、一〇〇〇年の時を越えて伝えられたとはいえないだろうか。では貞観地震の痕跡を潜在的なリスクとして肝に銘じ、災害に備えた都市づくりをするような歴史を日本はもてたかどうかとなると、結果的にはそれは不可能なことだった。それでも吉田東伍の記述は、歌という形式だけが、超長期ともいえる大災害のスケールに対応できたことを示している。

れる『大日本地名辞書』を一三年かけて編纂した。

貞観地震
西暦八六九年に日本の東北（当時は陸奥国）の東方沖合を震源として発生したとされる大地震。平安時代前期の貞観一一年にあたることから、この名で呼ばれている。

Ⅲ　絶滅のパラダイム

石碑にきざまれてのこる歌や警句もふくめ、これは芸術の形式が、過去の出来事を伝えることの重要性を物語っている。ある意味でその形式は「伝統」といえるものだが、しかし今日わたしたちがかかえる問題は、これとは別種の災害ではないかと思う。それをどう呼んでいいのかはわからないが、いままでの自然災害とは性質がことなっていることだけはたしかである。記録にのこるような個別の災害ではなく、有史以来のアートがよりどころにしてきた「自然」そのものが変質してしまうような出来事だからである。

これにかんして、二〇一九年五月六日、画期的な報告書が提出された。「生物多様性及び生態系サービスに関する政府間科学政策プラットフォーム（IPBES）」という長い名前のプラットフォームによる報告書である。世界一三二か国が参加してまとめた生物多様性の現状についての、はじめての包括的な政府間報告書である。この「生物多様性と生態系サービスに関するIPBESグローバル評価報告書（IPBES Global Assessment Report on Biodiversity and Ecosystem Services）」が衝撃をあたえたのは、もしも人類がこれまでどおりの活動を続けていくと、今後数十年間で約一〇〇万種の動植物種が絶滅の危機に陥るか、すくなくともそのリスクがあると明言したからである。

その内容が伝える現状はきわめてきびしいものだ。あまり環境問題に関心がなくても、以下のような数字を目にすれば、ほんとうなのだろうかと心配になる。たとえば陸上では在来種がおよそ一〇〇年間で二〇％以上も絶滅している。現状で絶滅の危機にある種は四〇％以上の両生類、約三三％のサンゴや海洋哺乳類におよぶ。また脊椎動物にかぎれば、一六世紀以降すでに六八〇種が絶滅し、家畜哺乳類も九％以上絶滅しているという。現在でも約一〇〇〇種の脊椎動物が絶滅の危機にある。シダ類では六〇％以上、両生類の四〇％以上、海では哺乳類の三三％、また世界的に死滅が報じられる造礁サンゴの三三％がふくまれる。陸生の哺乳類も二〇％以上、鳥類も一〇％以上など、非常に多くの種が絶滅の

「生物多様性及び生態系サービスに関する政府間科学政策プラットフォーム（IPBES）」
世界九四か国の賛同を得て二〇一二年に発足した組織で、日本も加盟している。国連環境計画（UNEP）が事務局を務め、国連教育科学文化機関（UNESCO）、国連開発計画（UNDP）、国連食糧農業機関（FAO）も参画している。

危機にある。

このようなすさまじい絶滅危機の背景に、二酸化炭素排出による気候変動があることも指摘されているが、そのまえに直視しなければならないのは、生物の絶滅とは反対に世界の人口は爆発的に増加しているという現実だろう。報告書によれば、われわれ人類は一九七〇年と比較して、三七億人から七六億人と二倍以上に増えている。エネルギーの消費は一九八〇年から約二倍に増加し、毎年約六〇〇億トンを消費している。生態系にかかる負荷は気の遠くなる数字で、野生の哺乳類にかぎってもそのバイオマスは八二％減少し、農地拡大によって森林の消滅は五〇％となっている。二〇一九年はアマゾンの大火災が国際的な関心を引きおこし、またオーストラリアでも大規模な森林火災で深刻な被害が出ている。だがそうしたショッキングな映像さえ吹きとぶような、自然破壊の現状が次つぎにあきらかになっている。

こうした統計からもあきらかなように、ここで「別種の災害」というのは、ほかでもない人間自身がこの災害の原因だからである。被災者は人間もふくめた全生命になる。冒頭で述べた災害の一般的な定義、つまり人間がいない場所での災害は災害とは呼ばれないという定義は、もはやあてはまらない。そこに人間が住んでいてもいなくても、生物種は消えていく。そのスピードは増しており、一日に約一〇〇種、一年間では約四万種の生物が地球上からいなくなり、人間の増加がこのまま続いていくと四半世紀後には、全生物の二五％ちかくが消滅するという計算すらある。前述した放射能汚染のニュースに出てきた半減期の時間とはちがって、絶滅の数字はどんどん短くなっていくという切迫感がある。

これほどの規模の絶命は、自然のサイクルに根本的な影響をおよぼすことになり、人間が地球上のどこにいようとも、これまでどおりの行動を続けるかぎり、災害が収まることはない。これが「別種の災害」の実態である。これまでになかったような大規模な火災や水害が、国境はもちろん個々の生態系を越えて影響をおよぼすとすれば、事実上「災害はつねにそこにある」と考えてよいだろう。もちろん災後ということばはあるが、災害と災害のあいだに、平穏な時期を想定することはむずかしくなりつつある。

どこかでおきている災害は、確実に地球規模での生命の絶滅をはやめている。文化と時代を問わず、自然が人間の芸術活動にとって欠くべからざる存在だったことは、ここでふり返る必要はないだろう。だがこのような絶滅のパラダイムをまえにして、いままでと同じような態度で「自然とアート」の関係をとらえることはできるのだろうか。

Ⅳ　人類の地質時代

以上のような放射能汚染と種の絶滅というふたつの問題は、現象としてはたがいに独立しているものの、問題の根には共通する要因がある。たとえばエネルギーの膨大な消費や地下資源の開発にともなう環境破壊だが、複雑にからみあう問題を表現するのに、広く使われてきた造語のひとつがアントロポセン（Anthropocene）である。日本語では「人新世」が定着しているが、オゾンホールの研究によってノーベル化学賞を受賞したオランダの大気化学者パウル・クルッツェンが提唱したことばである。anthropo は「人類学（anthropology）」にもふくまれているように「人間」を意味する。cene は地質時代の用語に使われ、「あたらしい」という意味である。

パウル・クルッツェン
一九三三―。オランダ生まれの大気化学学者。オゾンホールの研究で知られ、一九九五年にノーベル化学賞を受賞した。

クルッツェンらは人間が生きるいちばんあたらしい時代として、これを「Anthropocene」すなわち「人類の世」と呼ぶことにしようと二〇〇〇年に提案した。あたらしい世紀に入るからではなく、地球温暖化や環境破壊など、人類の活動が環境に決定的な影響をおよぼしていることを表現できるからである。はたしてそれが地質学者によって正式に使われるようになるかどうかは、国際地質科学連合の国際層序委員会（International Commission on Stratigraphy）による決定を待たなければならないが、「アントロポセン」はすでに、地質学や環境科学の枠を大きくこえて使われてきた。環境科学はもとより人類学、経済学さらに芸術の分野でも盛んにとりあげられている。

クルッツェンの提唱以降まず議論になったのは、それがいったいいつはじまるのかということだった。この問いは、同時に何をもって画するのかということでもある。クルッツェン自身は「産業革命」による二酸化炭素の排出を目安にしたが、人新世をめぐる議論には、多くの「はじまりの年代」が提案された。

合理的だが極端な提案としては、人類による「火の使用」がある。たしかに燃焼による二酸化炭素の排出という現象に注目すれば、火の使用こそが自然を根底から変える「人類の世」のはじまりといえるかもしれない。だが当時の人類の数からして、その痕跡が地層にのこされているだろうか。妥当な提案として実際に検討されてきたのは、新石器時代のはじまり（約一万二〇〇〇年まえ）、産業革命直前（一六二〇年）、最初の核実験と原爆の使用（一九四五年）である。

新石器時代つまり農業の開始によって、人間の自然界への影響は決定的かつ継続的になった。だがそれは完新世のはじまりとして認知されているから、あらたな年代を設ける必要はない。いっぽう一七世紀初頭、二酸化炭素濃度が急速に増加していく直前に区切りを設けるということは、気候変動の根源を化石燃料の大規模な使用にもとめるということであり、説得力をもつ。最後の区分は核の使用である。**トリニティサイトでの原子爆弾の実験**と、**広島、長崎への投下**以降、合衆国をはじめ世界各地で続けられた核実験によって、人工の放射性物質が大気中に放出されつづけた結果、その濃度が最大値を示すのが一九六四年となる。そして事実、放射性物質は地層からも南極の氷のなかからも発見されている。

いっぽう「人新世」という概念自体への批判は数多い。だがクルッツェンをはじめ多くの論者が、石炭と石油に代表される化石燃料の無制限な利用がおもな要因だという点では一致している。たとえば温室効果ガスが温暖化を引きおこすことがわかっていても、二酸化炭素の放出は減少するどころか増加している。人間の活動がもとであることは承知で、増えつづけるとなれば、究極の原因を資本主義にもとめるほかないだろう。そこで「資本新世」なる造語さえも提唱される。たとえばスウェーデンの歴史学者アンドレアス・マルムは、タイトルに『化石資本』とつけた著書で、イギリスによる産業革命以後、資本主義が拡大していく原動力となった「化石資本」の歴史を跡づけた。地質学的概念として提案されたにもかかわらず、「人新世」のはじまりを確定することは、自然科学の領域を大きくこえて歴史学的、哲学的な問題をはらんでいるのである。

V　アートと観測

二〇一一年以来、日本はあらゆる種類の「測定」によって、政治的にも経済的に大きな

トリニティサイトでの原子爆弾の実験
第二次世界大戦中、アメリカとイギリスで核分裂をエネルギー源に使う兵器の開発計画、いわゆるマンハッタン計画が推進され、一九四五年七月にアメリカ・ニューメキシコ州ソコロの南東で人類史上初の核実験がおこなわれた。この実験場は今日トリニティサイトと呼ばれ、実験から数週間後の広島・長崎への原子爆弾投下につながった。

広島、長崎への投下
第二次世界大戦末期、アメリカ軍によっておこなわれた人類初の核兵器による空爆。一九四五年八月六日に広島市に、八月九日に長崎市に投下された原子爆弾は未曽有の破壊と犠牲者をもたらし、被爆の影響は今日におよぶ。これまでのところ世界で唯一の核兵器の実戦使用とされる。

影響を受ける社会となり、現在にいたっている。たとえば被災地における放射線量が実質的に避難区域を設定し、それまでにあった共同体を分断してしまう。居住地域は「警戒」「帰還困難」というカテゴリーで、空間的にだけでなく時間的にも分類されるのである。結果として日常生活はじょじょに変質し、さまざまなストレスを個人にも集団にもおよぼすことになる。

復興庁の統計によれば福島県における震災関連死は二〇一九年秋の時点で二二八六人であり、大震災による直接の死者数一八〇〇人あまりを大きく上まわっている。その原因のひとつに、避難生活におけるストレスや病気があることはあらためていうまでもないだろう。放射能が見えないことは、心理的に大きな不安を引きおこす。いっぽうそれを測定し、数字や図表で目に見えれば安心につながるかもしれないが、同時に政治的な決定にも影響をおよぼすのである。

災害は破壊する。人生を、社会を、自然を破壊するのだが、破壊された場所に目をこらすことによって、ちがった視角を手に入れることができる。災害は、べつのみかたをするように、わたしたちに教えるのだと思う。人生や社会や自然、そして政治について、べつのみかたをするようになっただけでなく、わたしの写真は美術のカテゴリーに属しているが、たとえば風景表現についても、震災以来ちがう視点から考えるようになった。なかでも重要なのは、見えないものにたいして、写真は何ができるかという点である。

写真は一九世紀に発明されて以来、科学的な道具である。わたしは以前、イギリスのレイコックにある、写真術の発明家フォックス・トールボットの家を訪ねたことがある。古い屋敷がみごとに保存されていたが、写真家の記念館というよりは知的好奇心をもったジ

アンドレアス・マルム
一九七七―。スウェーデンの歴史学者。石炭や石油など化石燃料を大量に使いだした西欧の帝国主義時代に注目しながら、環境破壊を止められない現代文明を批判的に研究している。

フォックス・トールボット
一八〇〇―七七。フォックス・タルボットとも表記される一九世紀初頭イギリスで活躍した市民学者。カロタイプと名づけた写真技術を開発し、フランスのルイ・ジャック・マンデ・ダゲールとともに、写真の発明者として知られている。

エントルマンの生活を伝える民俗学的な資料館という趣だった。古文書学、考古学、植物学、化学、そして光学とはば広く関心を示したトールボットだったが、広い屋敷のなかには化石などの収集品があることに感銘を受けた。市民科学者としてその旺盛な好奇心をさまざまな分野に発揮し、ついにレンズを通してできる影を化学的に定着する方法を見つけて、写真術を発明したのだった。

福島第一原発が爆発し、放射能汚染が広がるなかで、わたしはときどき、トールボットのことを考えた。もし彼が現代の日本にいたら、いったい何に好奇心をもっただろうか。福島県の自然は、レイコックと同じくらい美しい。写真にうつらない何かが、その美しい自然をおおい、人びとは住めなくなった土地を去る。そのとき、市民科学者として、彼なら何をしただろうか。

原発災害の影響は複雑であり、不確定要素があまりに多いことが問題を複雑化する原因となっている。放射能地図に描かれる線は、地形と風とによって影響されており、ここにも不確定要素が偶然を引きおこす。わたしはその線の意味を考えるために、マルセル・デュシャンなども参照しながら、測定について考える歩行をおこなった。このプロジェクトは、考古学者、芸術家、詩人などことなるジャンルの人に糸の端をもってもらい、いっしょに歩きながら対話を重ねるというもので、最終的には「時の糸」というタイトルで展示された。わたしたちは、各地点での放射線量を記録し、消えてしまった道や建物が描いていたさまざまな線を想像しながら歩いた。同時にまだ見えていない境界線を予想しようとした。測定に使われた糸は会津の伝統工芸である漆を使ってコーティングされている。漆は非常に強い耐性をもっていることが知られ、福島県の遺跡からは数千年まえの、漆塗りの糸玉が出土している。わたしは放射能が場合によっては数千年から数万年の半減期をもっていることを念頭におき、測定された糸が長くのこるようにと漆を使った。

こうしてわたしは風景が、見える部分と見えない部分を同時にふくんでいることを考えるようになった。風景はいくつものレイヤーでできており、そこには知覚の限界もふくまれているといえるだろう。ここでは大熊町を歩いた経験をとおして、そのことを考えてみたい。

Ⅵ　大熊町を歩く

わたしは二〇一五年と二〇一九年に、大熊町でひらかれたツアーとワークショップに参加した。二〇一五年は大熊町全域に避難指示が出されており、参加者はかぎられていた。二〇一九年には除染を終えた地域の一部で避難指示が解除されて、県外からもふくむ一般の参加者とともに、大熊町の歴史に耳をかたむける機会を得た。双葉町とともに原発が立地されている自治体のひとつであり、**中間貯蔵施設**の建設により、町のなりたちが根本的に変わる場所の風景が、わたしたちに問いかけるものは大きい。

二〇一五年にわたしたちがおとずれたのは、町ではなく山だった。季節は梅雨に入っていたが、水辺から森への道は緑が美しいハイキングコースである。だが避難指示が出て四年が経過し、とちゅうに点在している家屋はどこも雑草や灌木におおわれていた。ワークショップの目的は、大熊町の樹木を対象にした**岡部昌生**による**フロッタージュ**で、わたしたちは歩きながら土地の歴史を聞き、人の痕跡にふれていったのである（次ページ写真1）。

中間貯蔵施設
原発事故の影響による放射能汚染にともなって、福島県内でおこなわれた除染による土砂や汚染された廃棄物などを、最終処分するまでのあいだ、集中的に保管する目的でつくられた施設。

岡部昌生
一九四二―。北海道根室市出身の現代美術家。フロッタージュをはじめとするさまざまな手法で、土地に眠る歴史や記憶を浮かびあがらせる独創的な表現で世界的に知られている。広島の被爆した場所の痕跡を壮大なスケールで展示した代表作は、世界各国で展示された。

フロッタージュ
凹凸のある表面に紙をおき、鉛筆などで擦ることで物の形状をうつしとる美術の技法および、この技法によって制作された作品。フロッタージュの語はフランス語強く印象にのこっている場所がふたつある。ひとつはかつてそこに存在した小塚製炭試験場である。第二次世界大戦中まで日本のエネルギーの中心であった製炭の研究と試験施設で、大戦中も軍関係の機密として、民間人の立ち入りはきびしく制限されていたという。もうひとつは小塚製炭試験場があったあたりに近い路傍にのこされていた、小さな石碑である。「捨石塚」ときざまれた碑で、その周囲には丸い形をした小石がたくさんおかれていた。文字どおり、小石を捨てるための場所ということになるが、由来ははっきりとはしない。大戦中に飛行場から飛びたっていく若い兵士たちに手向けられたものではないか、という。帰ってこないことを知って石をおいたのか、いずれにせよだれがなんのためにおいたのかは、はっきりとはしない（写真2）。

しかしこのふたつの場所は風景のなかにあって、いまは見えないがたしかに存在した歴史を語っているように思

写真1　大熊町の森でフロッタージュを制作する岡部昌生さん（2015年）

写真2　鎌田清衛さんらによる「捨石塚」フロッタージュ現場（2015年）

で「擦る」を意味するfrotterに由来する。美術史では超現実主義の作家マックス・エルンストがこの技法で作品を制作して、広く知られるようになった。

う。阿武隈山系の美しい森には、日本のエネルギーと軍事の歴史が刻印されている。ツアーの一環でわたしたちは石川町にもおとずれたが、資料館で、戦時中秘密裏にウラン鉱石の採掘が試みられていたことを知った。原子爆弾の製造のための研究で、結果的には中止された研究ではあったが、これもまたエネルギーと軍事の歴史に連なるものである。地中から掘りだされる物質による、さまざまな「火の歴史」といいかえていいかもしれない。

フロッタージュの制作の場所へむかうとちゅう、わたしたちは足場の悪い急な斜面を登らなければならなかった。ゆっくりと一列になって、歩いていく木立のなかには、枯れ葉に混じってちいさな破片が転がっている。ひろって土をはらってみると、細かな模様がついている。それは縄文土器の破片だった。おそらく掘ればたくさん出てくるのだろう。つまりそこは縄文時代にも人が住んでいた森である。数千年前には土器を焼く煙が、あちらこちらにあがっていたのだろう。エネルギーの歴史のはるかなはじまりには、そのような森の風景があった。

二回めの訪問は、二〇一九年の一一月におこなわれたスタディツアーである。避難指示解除となったのは、同町の中屋敷地区と大川原地区で、わたしたちは大川原地区にできた町役場の新庁舎を拠点にした町歩きと環境省が整備する中間貯蔵施設の見学をおこなった。解除された地区はふたつだけであるが、大熊町の全面積のなかにしめる割合は約四割と大きい。役場の近くには住宅団地も整備されていたが、生活に必要な環境の整備となると、まだまだである。長期避難生活のなかで、避難先に新居を建てている住民も多く、帰還を見送っているかたもすくなくないと聞いた。なにしろ町内にはまだ線量の高い帰還困難区域が多くのこっている。そこへの立ち入りは禁じられている。町が帰還困難区域によって

資料館
石川町立歴史民俗資料館。阿武隈山系にある福島県石川地方は多様な鉱物の産地として有名で、この地方で産出した鉱物標本を中心に、土器や民具などの貴重な民俗資料も展示されている。

寸断されているという印象で、もとあった暮らしの風景がもどるには、相当の時間がかかるだろうというのが、正直な印象だった。

ツアーのガイド役になったのは、鎌田清衛さんである（写真3）。鎌田さんは震災まえ、大熊町の小入野という地区で梨を栽培する果樹園を営んでいたが、現在はそこも帰還困難区域のなかにある。郷土史家として、大熊町の歴史を長く調べ記録していた鎌田さんは、二〇一五年のワークショップでもガイド役として、わたしたちを大熊町の森や神社に案内してくれた。四年の年月をはさんで鎌田さんから説明を受けながら、わたしたちはあらためて、変貌する風景に衝撃を受けた。見学者用のバスに乗って中間貯蔵施設の地域内へ入っていくと、まず人の気配のない村の光景が現れる。かつてそこにあった生活は凍りつき、そこに植物や埃がおおいかぶさって、もとあった色がわからないような、モノトーンの世界が広がっている。鎌田さんの自宅と果樹農園があった小入野は、原発から約三キロの地点にある。そこからしばらくいくと、屋敷森のあいだからベルトコンベアが折り重なるようにして見えてくる。除染によって出た汚染土や廃棄物を処理し、それを中間貯蔵施設へと運搬するベルトコンベアである。里山の自然のなかに、巨大なベルトコンベアがどこまでも続くようすはそれだけで異様である。

写真3　大熊町スタディツアーで解説する鎌田清衛さん（2019年）

かつては農道だったと思われる道に、除染土を運ぶダンプカーが列をつくっている。環境省が中間貯蔵施設区域内で運営する「中間貯蔵工事情報センター」によれば、福島県内の各地から土を運ぶダンプカーは、衛星による位置情報システムによって管理運行されているという。汚染土の処理も同じように厳格に管理されており、働いている人間はもとより周囲の環境にも汚染が広がらないよう、幾重にも安全がほどこされていると説明されていた。ともあれこのような規模の除染土の処理は、歴史的にも前例がないのではないだろうか。

処理された土が貯蔵される現場では、遠くを走るダンプカーがおもちゃの車のように小さく見える。気の遠くなるような量の土を運びこみ、谷を埋めるようにして土を重ねていくようすを遠くからながめながら、現実感が遠のいていくのを感じざるをえない。それはバスから一歩も外に出ることができないという、見学のスタイルのためばかりではないだろう。「中間貯蔵施設」という名称からは想像ができない、日常感覚をこえた巨大スケールのせいでもあるだろう。

もともとそこは日本のどこにでもあるふつうの村だった場所である。すくなくとも中世以来続いてきた生活圏は、農業と漁業によってなりたち、基本的には人間の身の丈にあったスケールが見えたのだった。その法外な光景を目の当たりにし、スタディツアーのタイトルだった「大熊町のＤＮＡ」の意味を、考えさせられた。この場合の「ＤＮＡ」とは、世代を継ぐための核になるものという意味だろう。町の遺伝子とはなんなのか。ここではアートの側から、町の記憶を継ぐための具体的な方法を考えてみたい。

Ⅶ　写真の役割

日本には歴史も地理も大きくことなる、さまざまな市町村がある。大熊町では役場の新庁舎から出発し、里山の道をゆっくりと歩いた。とちゅうで寄った大山祇神社は二〇一五年にもおとずれた場所で、見あげれば鬱蒼と茂る大杉がある。このうち二本は太さは五メートル以上、おとな三人が両手を広げてやっとかこめるくらいのご神木である。そこから小路を歩いていくと、竹林を背景に小さな石塔がある。百万遍塔と呼ばれる可愛らしい塔である。一周して役場にもどると、ちょうどいい散歩の距離と時間なのだが、その体験をつうじてふれることのできる時の広がりは、ほとんど無限といっていいように思う。数字だけでは表せない、感覚的な時間である。

この経験からわかるのは、まず町の遺産を伝えようとすれば、歩行が必要だということである。歩きながらながめると、それぞれの場所が立体的に把握される。石段のむこうに大杉があり、石塔の背景に竹林がある。木には木の時間があり、石には石の時間がある。町内にはほかにも多くの石碑があり、それぞれがことなる歴史をきざんでいる。当然のことながら、それらの碑文は読み解かれてはじめて過去を語る。内容を知らなければ、ただの石にすぎない。わたしたちは鎌田さんの解説によって、神社の大杉や塔の来歴を知ることになった。自然、人工物、そして人間たちが、それぞれゆるやかにつながって、ひとつの風景をつくっている。その全体を把握するには、歩くことがいちばんなのである。

郷土史を根底で支えているものは、歩くことだろう。歴史は文字によって伝えられる記録だが、では文字だけで郷土史が成立するかというと、そうではないだろう。歩くことによるリサーチがなければ、郷土の記憶はのこせない。歩きながら尋ね、訪ねながら知ることが民間に伝えられてきた長い話を知る唯一の方法だからである。文字による記録は歩くことによって、具体的な風景を描きだす。風景のない歴史は、郷土史ではないだろう。

もちろんそこでは人間だけがすべてではない。大杉や石やため池は人間とともにある。それらすべてをふくむのが風景であり、その意味では風景のほうが人間を記憶しているといったほうがいいだろう。西欧的な概念では、ランドスケープは人間によってながめられる対象であり、さらに特定の目的のために改変するのがランドスケープである。いっぽう風景は必ずしも対象として存在しているわけではない。風景それ自体が動きであり、循環であり、人間は循環を構成する一部にすぎない。

だがいずれの場合にも、わたしたちは歩くことで土地とつながり、複数の時を経験する。カメラは、その経験を記録する強力なツールである。歩きながらシャッターを切ることの醍醐味は、まさに土地とつながりをもちながら、そこを自在に切りとるところにある。カメラをもって歩くのと、もたずに歩くのでは、風景の感覚自体がちがうのである。カメラをもっていると、一歩ごとに見える光景が変化することに敏感になる。一歩ふみだすだけで、世界が近づく。一歩さがるだけで、視野が広くなる。それが「スナップショット」と呼ばれるのは、たんに手持ちカメラで撮影するという意味ではなく、歩きながら記録するということそれ自体がひとつのジャンルになるほど、基本的なスタイルとして一般化したからである。

さてスタディツアーのあいだ、役場のホールにはかつて大熊町の市民が撮影した写真が展示された。時代は第二次世界大戦から平成にかけての長い時間で、日常生活のさまざまな場面が登場する。役場をおとずれた市民は写真にうつっている時代や人を懐かしく思いだすだろう。わたしは鎌田さんによる解説を聞きつつ、それが写真をもとにした一種の聞きとりでもあることに、おおいに納得したのだった。

こうした展示には、町を探る方法としてたいせつな点がいくつかふくまれている。ひとつは、どのような写真にも価値があるということである。公的な記録だけでなく、いわゆる家族アルバムの一ページにも、町の記憶を構成するシーンがふくまれている。重要なことは、多くの写真のなかから特定のカットを選び、それを引きのばし、大勢で見られるように展示するということである。通常、家族アルバムにある写真は、家族にとっての価値しかもたない。しかししかるべきサイズとクオリティのプリントにして、壁にかけると、そこに展示価値が発生する。アルバムのなかにのこされているだけではわからないことも、パブリックな空間で展示されると、所有者には思いもよらなかった意味が出てくることもある。展示価値をあたえられることによって、写真はメディアとしての力を発揮するからである。

写真にとってサイズは重要で、手札サイズをひとりでながめるのと、それを額装して離れてながめるのとでは、同じ画像でも、人間の経験としては大きくことなる。ある程度離れて見ることは、その場の光と空気のなかでイメージを読むことである。写真にとって重要なことは、それを読まれるために最適な状態におくことであり、さらにいえば、それを読みながら語るような時間をあたえることである。

今日のデジタル技術は、ネガのサイズの写真でも高解像度でスキャンしプリントすることによって、非常にクリアーな画像を得ることができるし、傷や埃の修正もそれほど困難ではない。とくに古い写真は、家族であっても、ほとんどながめる機会がないものである。時間がたてばたつほど内容は曖昧になり、だれにもわからなくなってしまう。しかし小さくてよく見えない画像を、大のばしにし、きれいなプリントにすると、だれもが感嘆する。それまでだれも気づかなかった細部が、語るようになるからである。

大熊町の場合は、写真を読むことが、かつてあった暮らしと生活を想起することにつながっている。また同じ写真を複数の人が見ることで、会話や対話が生まれることが重要である。ひとつ例をあげると、わたしは台湾で植民地期から独立後にかけて撮影された民間の写真を、二〇年ちかくリサーチしてきた。はじめたころは、台湾ではとくに植民地時代の写真を見る場所はきわめてかぎられており、何人かの有名写真家の作品をのぞいては、美術館でも見ることはまれだった。わたしの興味は民間で撮影された写真だったので、出版されもせずコレクションにもならない。そこでワークショップ形式で、参加者にそれぞれ家族で保管している写真をもち寄ってもらうことにした。

写真はスキャンしたデータをプロジェクターで投影したり、実物投影機を使って投影し、それを参加者全員でながめたりしながら、わたしが質問をする。質問はその写真がいつ、どこで撮られ、被写体はどんなものなのかという、しごく単純なものである。答えをさがしているうちに、ほかの参加者のほうからも次つぎに付随する質問や答えが出てくる。これまで台湾の大学やギャラリー、ミュージアムなどでおこなってきたが、写真をつうじて台湾の人びとが生きてきた複雑な歴史が見えてくるように思う。古い写真のなかには大陸の写真館で撮影されたものがすくなくない。たとえば植民地時代の学校の写真アルバムには、日本の皇民化教育の風景が見える。

またワークショップでは、できるだけ実物をもってきてもらうように依頼している。というのも写真にふくまれている情報は画像の中身だけではないからである。ネガや印画紙の種類や、プリント裏の書きこみが重要な情報となる場合がすくなくない。写真をたくさんの人といっしょにながめ語りあうことから、自然に「写真を読む」という雰囲気が生まれる。ふだんはそのような経験があまりない人でも、時間をかけてじっくりとながめることで、写真はたくさんのことを「語りはじめる」ようになる。

それは大熊町でのささやかな展示でも、わたしたちが感じたことだったように思う。そこで写真は「第二の風景」として、わたしたちがじっくりとながめ知りうるだけのゆたかな景観を満たし、住民の記憶を貯えていることが感じられたのである。

Ⅷ　レガシーとしての眺望

だが中間貯蔵施設が整備されている区域には、それまでの住民の記憶ではあつかえないような条件がある。すくなくとも何十年間は、そこに立ち入ることができない以上、風景の記憶は急速に薄れていくだろう。除染土が最終処分地へ移動されたあとは再び居住可能となるのだろうが、いちど切断されてしまった暮らしが、どのようなかたちで復活するかどうかは、だれにも予想はつかない。これはダム湖にしずんだ村とも事情はことなる。ダム湖の場合は、風景そのものが完全に消滅してしまうが、帰還困難区域や中間貯蔵施設の場合は、消滅したわけではない。いつかはもとにもどせる可能性があると考えられており、そのためのプログラムが敷かれている。いつの日か帰還するかどうかの判断はべつとして、基本的に村の風景はレガシーとして引き継がれるのである。前例がない事態である以上、比較できるような例を出すことはむずかしいのだが、レガシーとしての風景をどうとらえるかという点で、ここでは沖縄の例をあげてみたい。

沖縄には多くの基地がある。在日米軍だけが使っている基地（米軍専用施設）は、面積としてその約七〇％が沖縄に集中し、沖縄本島の面積の約一五％をしめている。周知のように一九九六年日本政府とアメリカ政府が話し合いのすえ、**SACO合意**によって一一か所の米軍基地を日本に返還することが約束されたが、それらのなかで世界一危険といわれているのが**普天間飛行場**である。米軍が基地の建設をはじめたのは一九四五年四月の上陸以降だが、普天間飛行場は敗戦後今日にいたるまで、一般人の立ち入りは禁止され、現時点でも返還の具体的な日程も、もとの住民への土地の利用の目処もたっていない。

わたしは二〇〇二年から沖縄の風景をテーマに作品の制作をする過程で、米軍基地となった土地の記憶を市民がどのようにとりもどそうとしているかを知るようになった。リサーチでとくに印象にのこったのは、普天間飛行場の原風景を再構成しようとするユニークな取り組みである。ここではかんたんに紹介するにとどめるが、宜野湾市では以下のように、およそ三つの角度からレガシーとしての風景をとりもどそうとしていた。ひとつはSACO合意後、将来の返還を予定しておこなわれた考古学的な発掘である。宜野湾市の密集した住宅街のど真ん中にあることから、世界一危険といわれているわけだが、滑走路となっている部分や格納庫などの建物がある場所以外では、部分的に発掘調査がおこなわれてきた。積み重ねられたデータから生活の痕跡を地図上に配置することができる。発掘のできない場所については、米軍が爆撃前に撮影していた航空写真がある。この写真は沖

SACO合意
沖縄県で一九九五年におきた米兵による少女暴行事件をきっかけに、日米両政府が沖縄県にある米軍基地の整理と縮小を検討した。翌年に合意の最終報告が出されたことから「日米特別行動委員会（SACO）最終報告」通称「SACO合意」と呼ばれる。報告には県内の一一の施設、およそ五〇〇〇ヘクタールの土地の返還が盛りこまれているが、実現された返還の面積はごく一部にとどまっている。

普天間飛行場
通称普天間基地。沖縄県宜野湾市の住宅密集地域にあるところから、世界一危険な米軍海兵隊基地ともいわれる。

縄県公文書館で見ることができるが、道路などもはっきりと記録されており、家屋の位置関係も地図上に再現することができる。

ふたつめは、地形図から立ちあげられた3Dの想像図である。二〇〇〇年代初頭だったので、現在からくらべれば画像の目はまだ粗かったが、それでも起伏や遠くの景観などをも再現し、データを動かしながらウォークスルーの体感を得るところまでは実現していた。これらふたつのデータをくみあわせ、公民館でおこなわれていたのが、わたしが興味をもった聞きとり調査である。

具体的には3Dで表示した想像の風景を大型スクリーンに投影し、それを動かしてみながら、かつてそこに存在した暮らしの情景を聞きとっていく。当時すでに戦争から六〇年以上が経過している、戦前に住んでいた住民のかたがたの記憶も薄れてきているが、スクリーンに映しだされた想像の地形に合わせ、地図上に記載されたデータを読みとっていくと、「どこそこに何があった」というフレーズが、すこしずつ出てくる。近所にだれがいたとか、どこに何商店があったという、どれも些細な記憶である。だがそれらを丹念にひろい集めていくうちに、近隣の状態がおぼろげながら見えてくる。

聞きとりは個人ではなくグループでおこなわれていたが、わたしがとくに興味をもったのは、想起される際にいくつか指標となるような、特別な場所があるらしいということである。それは聖地である御嶽やカーと呼ばれる泉にある拝所、墓所、大樹などで、節目ごとに人が集まる場所である。それらの位置が記憶のなかの目印となって、そこから移動していく時の道の曲がり具合や起伏などが、身体的な感覚としてよみがえってくると、風景全体が感じられてくるようだった。すこしずつ口をついて出てくる場所や、その名前を調査員はていねいに書きとっていく。もちろん現時点では七〇年にもおよぶ長い期間の占領状態にあって、記憶の風化はさらにすすんでいることだろう。だがこうして積み重ねられたデータは、占領前の風景をレガシーとして次世代にわたすための、基本的な資料になるはずである。

そもそもレガシーとはなんだろうか。カタカナ語として使われる場合、わたしたちはのこされているもののうち、「遺産」として引き継がれるものという意味で使っているが、わたしは普天間飛行場でのユニークな聞きとり調査を見て、すこしちがう意味を教えられたように思う。レガシーには、過去を受動的に引き継ぐだけではない、積極的な意味もあるのではないか。

レガシーが派生したもとの語の legate には、「遣い」という意味がある。たとえば「大使」や「使節」といった、公的に遣わされる人のことである。その意味に注目して、レガシーを「過去から公的に遣わされるもの」として考えると、わたしたちにはその遣いを受け入れるための、それなりのあつかいを義務づけられていることになるのではないか。考古学的な痕跡と地形データから立ちあげられた仮想の風景をもとに、半世紀以上まえの風景をとりもどす試みは、「過去からの遣い」への応答とも思えるのである。

Ⅸ　同心円の中心に

わたしたちは皆、レガシーの受け手であると同時に作り手でもある。未来へむけて何を「遣い」として送ることができるのか、あらためて考えなければならない。大熊町の役場

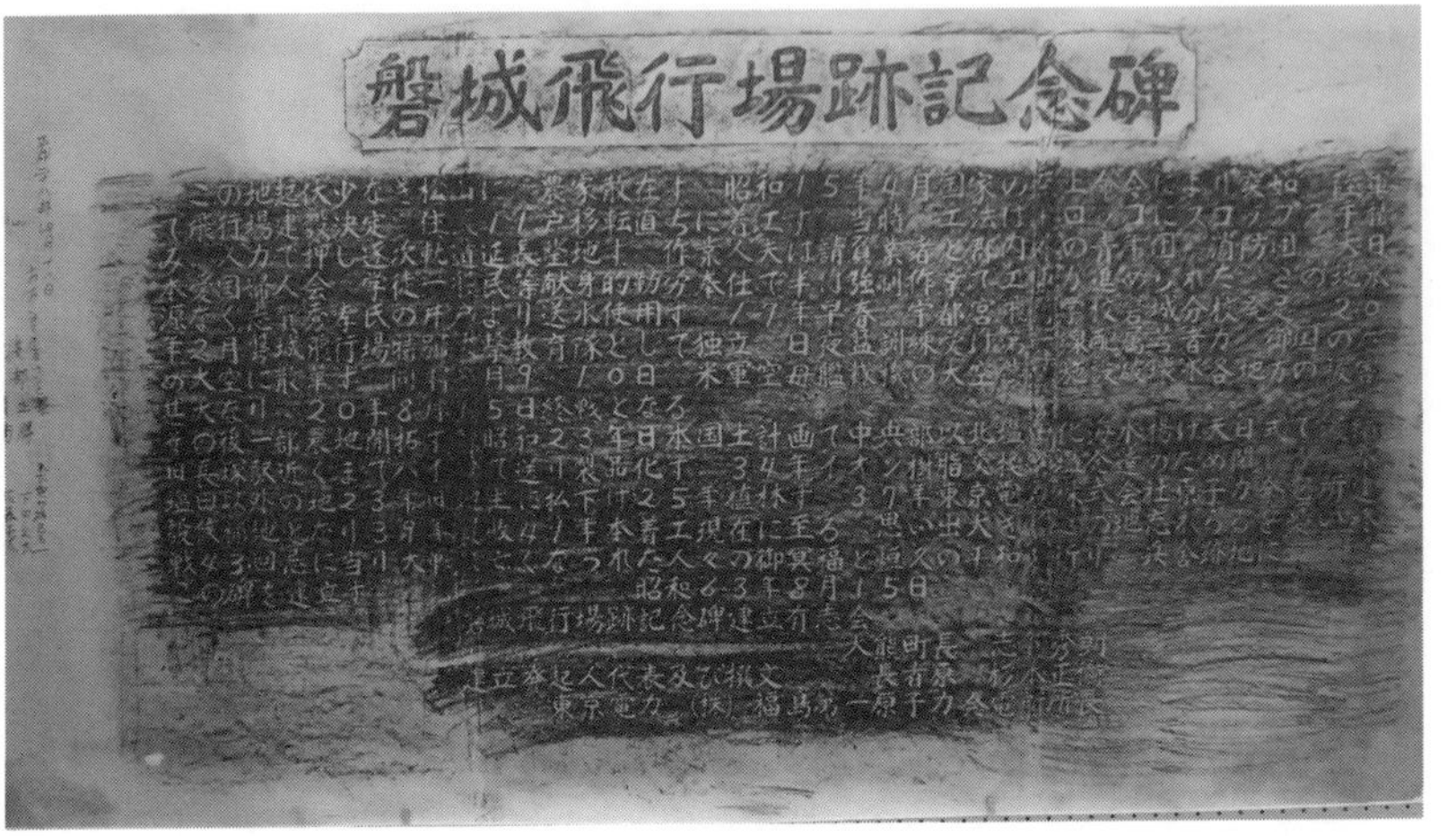

写真4　大熊町役場ホールに展示された「磐城飛行場跡記念碑」のフロッタージュ（2019年）

のホールには写真と並んで、フロッタージュ作品も展示されていた。そのなかにあった捨石塚のフロッタージュを見て、わたしたちが二〇一五年のワークショップに参加して以降、鎌田さんは四年のあいだ、地元の痕跡を擦りとる作業を続けていたのだと知ったのである。

　自宅と農園が帰還困難区域のなかにとりのこされている状態にあって、どのような思いでフロッタージュを続けてきたのかを思い、とっさにことばが出てこなかった。それらのなかに、ひときわ大きな作品があった。「磐城飛行場跡記念碑」と題された、立派な拓本である。碑文の一部を紹介したい（写真4）。

「磐城飛行場跡記念碑」
　この地起伏少なき松山に　農家散
在す　昭和15年4月国家の至上命
令により突如　陸軍で飛行場建設決

定　住民11戸移転直ちに着工す　当時　工法はトロッコにスコップで手積み　人力で押し逐次軌道延長整地す　作業人夫は請負業者と郡内外の青年団　消防団　大日本愛国婦人会　学徒一般民等献身的勤労奉仕で半ば強制作業で工事が進められた　この地水源なく志賀秀孝氏の井戸より送水使用す　17年早春　宇都宮飛行学校磐城分校発足　20年2月磐城飛行場特別攻撃教育隊として独立　日夜猛訓練受け第一線配属若者が　御国のため大空に散華す　同年8月9　10日　米軍空母艦載機の大空襲施設破壊亦各地方の被害甚大なり　20年8月15日終戦となる

内容について説明はいらないと思うが、この石碑にはひとつ特別なところがある。文章が左から右へと横書きできざまれているのである。これまでわたしたちは、県内でも多くの石碑を目にしてきたが、横書きの碑文というのははじめてだった。なぜ横書きにしなければならなかったのか、その理由はわからない。

碑文の後半は、この場所の履歴を語る。終戦後に国土計画があり、一部が塩田化、植林の後に昭和三七年に東京電力株式会社の原子力発電所建設候補地となり、四一年着工現在にいたる。「思い出大き　この地忘れらるを憂い終戦43回忌に当り大戦で亡くなられた人々の御冥福と恒久の平和を祈り　兵舎跡地に　この碑を建立す」と締めくくられる。建立の日付は昭和六三年八月一五日。文中に出てくる志賀秀孝氏は当時の大熊町長であり、それに並んで建立発起人として「長者原　杉本正衛」、そして最後に「東京電力(株)福島第一原子力発電所所長」ときざまれている。

現在、福島第一原子力発電所がある場所には、かつてそこで特攻隊の訓練がおこなわれていた飛行場があったという事実を、その飛行場の建設がなかば強制作業ですすめられたことや大空襲で破壊されたことをふくめて、後世に伝えるために建立された記念碑である。撰文は長者原の杉本正衛氏ときざまれている。簡潔にして住民の思いがこめられているだけでなく、ひとつの土地がどのような経緯で変貌していったのか、その正確な記録になっている。

鎌田さんによれば、飛行場の建設は先述した小塚製炭試験場とほぼ同じ時期だったという。そこで木炭製造をしていた兵隊は、飛行場から派遣された者たちだったのではないかともいわれるが、真相はわからない。どちらの建設も地元住民には秘密裏にすすめられ、機密事項として公にされることはなかったからである。

いずれにせよ、これはいくつもの点で重要な石碑だと思うのだが、ここでは内容の詳細に立ち入る余裕はない。まずなによりもわたしをおどろかせたのは、震災後にもこの石碑がのこっていたということと、鎌田さんらが敷地内に入って、そのフロッタージュをのこすことができたということだった。そしてわたしはこの拓本を見て、大震災発生から八年後に、同心円状のサークルの中心に刻印されていた記憶と出会った気がした。

鎌田さんによれば、石碑のフロッタージュが許可されるまでのプロセスはかんたんではなかったが、実際に制作をおこなったのは原発の所員らで、その理由は外部の者が敷地内で作業をすることは許可されないからである。全員防護服に身をつつんでいたことは当然だが、フロッタージュを制作する作業をおこなったのは、あくまで東京電力の所員らであった。二〇一五年の際にも、わたしたちは岡部さんとともに大熊の被曝を続ける樹々のフロッタージュを共同作業でおこなった。そのときの経験がこうしたかたちで生きて、貴重な石碑の記録がのこされたことに感動を禁じえなかった。

おそらくアートでなければ、この記録はのこすことができなかっただろう。廃炉にむけた作業がすすむ原発で、ほかにどんな理由でフロッタージュがおこなわれうるだろうか。アートの方法によったからこそ、「忘れらるを憂」う先人の痕跡を、こうしてのこすことができたのである。もし拓本がなかったら、こうして展示される機会がなかったらおそらくわたしたちは永久に、この文章にふれることがなかったのではないかとさえ思う。

アートであると同時に、ここには「リサーチ」の真の意味がある。それはさがしもとめることの苦労と手触りである。それに加えて、わたしは震災発生以来、頭から離れることのなかった、あの同心円状サークルの中心が、リサーチの意味を教えてくれているように思えた。リサーチもレガシーと同様に、カタカナ語として定着している。それはサーチと同じくさがす、探求するという意味だが、その語源には「サークル」がある。いろいろな解釈が可能だろうが、放射能汚染の地図の同心円状サークルからの連想で、わたしはさがすこと探求することとは、問いの円環を絞っていくことではないかと理解したのだった。

X　時の梯子

デザストル＝星界の異変からはじめた考察を、再び天体の運行をとりあげてとじることにしたい。郷土史家として「おおくまふるさと塾」の仲間といっしょに活動してきた鎌田さんらは、町内の小入野地区にある海渡《みわたり》神社で、ある発見をした。震災まえのことであったが、この神社からはひときわ高い日隠山が見える。春分の日と秋分の日、海渡神社に立

「おおくまふるさと塾」
震災まえから大熊町の歴史や民話をのこそうと活動してきた町民の活動。震災後に町内の各地域に伝わる話を聞きまとめた『残しておきたい　大熊のはなし』が発行されている。

つと日隠山の山頂に夕日がしずむのである。海渡神社の位置が年に二回だけ、山頂と一直線にむすばれている。「日隠」の意味はここにあるのではないか。

わたしは神社の来歴は知らないが、そこからながめると年に二回、日隠山の山頂に日がしずむのは、とても偶然の配置だとは思われない。世界には、古代の天文学とむすびついた遺跡が数多く存在しており、それらのなかにはエジプトのピラミッドやイギリスのストーンヘンジなど世界遺産として有名な場所もすくなからずある。春分・秋分や夏至・冬至の日の、日の出や日没の方向は、特定の季節にのぼってくる星座の位置とともに、重要な知識だった。わたしがこれまで訪ねた場所では、イタリアのシチリア島にのこるギリシア様式の神殿もそうである。

観光客にも人気のあるアグリジェントの「神殿の谷間」もふくめて、シチリア島の神殿は太陽がのぼる方向にむいていることが知られ、四一ある神殿のうち三八がそうであることから、意図的な配置だと認められている。アグリジェントの谷のなかでもっとも壮麗なコンコルディア神殿では春分の前後に、太陽が神殿の軸線方向に姿を見せ、中央の柱と柱のあいだから日の出が見えることが知られている。天体カレンダーとしての建築である。

時代も場所も大きくことなるにせよ、海渡神社の配置を一種の天体カレンダーと考えてもまちがいではないだろう。だがそれよりもたいせつなことは、震災まえに発見された神社と山との関係に、震災後にはべつの意味が生じているということである。神社は中間貯蔵施設の予定地にあるが、鎌田さんは神社の保存をもとめている。春分の日に神社にいき、そこから皆で日隠山の日没をおがむのは、そのためでもある。つまり春分・秋分の日の日没時における神社からの眺望は、レガシーとして意識されているのである。

アグリジェントの「神殿の谷間」
イタリアのシチリア島南部にあるアグリジェントの考古学遺跡。神殿建築の傑作といわれる遺跡群で、ユネスコの世界遺産にも登録されている。

ある意味で、これは「デザストル」の反対である。季節ごとに正確な位置をしめる天体の動きに注目することによって、秩序をとりもどそうとするはたらきともいえる。とつぜんの災害によって時間が止められてしまった村や町にたいして、天空を横切る大きな時計をあおごうということでもあろう。山と神社の軸線もまた、ツアーのタイトルにあった「大熊町のＤＮＡ」をなしている、重要な要素だとはいえないだろうか。わたしたちがたいせつにしなければならない場所は、名所や旧跡ばかりではない。この神社のように、めだたず静かに立ちつづけ、生きる縁《よすが》となるような場所こそがたいせつである。

大熊町にあって、わたしが心をひかれる場所がもうひとつある。これも鎌田さんの本で教えられたものだが、熊町小学校の校庭に立っている篠懸の木である。学校の玄関の上にある大時計の針は二時四七分のまま止まっているという。校庭の南側にある篠懸の木には、鉄製の梯子が立てかけられている。もとは壊れた運梯の一部を子どもたちが梯子がわりにして、木登りをしたものだというが、震災後は無人となった学校で、梯子はそのまま立てかけられたままだった。ある日気がつくと、篠懸の木は梯子を抱いたまま成長している。「まるでコアラが赤ちゃんを抱いて」いるようにして、梯子は半分くらい幹のなかにとりこまれてしまい、はずそうにもはずせない。

大きな木の内部に梯子がかかえこまれている。

わたしはその様子を想像しながら、天へとのぼる梯子を思った。ある日もはや放射能の汚染を心配する必要がなくなって、子どもたちがもどってきた時にも、篠懸の木はそこにあるだろう。太くなった木の幹のなかに内蔵されてしまった梯子のことを、校庭で遊んでいたかつての子どもたちは、憶えているだろうか。たとえ校庭があっても、彼らの子どもたちは、もはや知る由もないかもしれない。

しかし木のなかの梯子は、遺伝子のように、かつての風景を伝えようとするだろう。それは時をはかる梯子。かつて吹いていたのと同じ風を受けて緑をながめるために、空の高みへのぼることを忘れないようにと。

遠くを見るための、ちいさな梯子。それはわたしたちの内部にも、きっとどこかに立てかけられているはずである。


〈引用・参考文献〉

（1）吉田東伍「貞観十一年陸奥府城の震動洪溢」阿賀野市立吉田東伍記念博物館編『阿賀野市立吉田東伍記念博物館研究概報』1　二〇一一年
鎌田清衛『残しておきたい大熊のはなし』歴史春秋社　二〇一六年

港　千尋（みなと・ちひろ）

写真はフィールドワークの手段だから、写真家もフィールドワーカーといえるかもしれない。では作品がフィールドワークの結果かといえば、よくわからない。写真家にとってのフィールドとはなんなのだろう。それを考えはじめたのは、大学時代に一年かけて南米大陸を一周した時だった。地球の反対側で出会ったのは未知の世界で、わたしは都市でも自然のなかでも、毎日見る風景に圧倒された。好奇心さえあればあらゆる場所がフィールドになると思って、いまも写真を続けている。

＊　＊　＊

■わたしの研究に衝撃をあたえた一冊『ハーレムの熱い日々』

一九七九年大学入学直後に手にして、文字どおり衝撃を受けた。ファンだったモダンジャズの巨匠たちが出てくることもあるが、なにより著者の行動力と好奇心に圧倒された。対象との交感を伝える写真、チャーミングな文章、マンハッタンのハーレム地区に住みこみ、黒人文化のすばらしさ、公民権運動の熱さを伝えるパッションにひかれ、あこがれた。その後の著者の活躍は知られるとおりだが、本書の輝きは四〇年後のいまもまったく変わらない。

吉田ルイ子著
講談社文庫
一九七九年

福島県立博物館の試み
東日本大震災八年目の春にふり返る

――川延安直

I　前史として

1　企画展「岡本太郎の博物館」

一〇年前の二〇〇九年秋、わたしは福島県立博物館で企画展「岡本太郎の博物館・はじめる視点　博物館から覚醒するアーティストたち」を企画・開催した。パリ時代に人類学を学び、人類学博物館に足しげくかよった岡本太郎は、東京国立博物館で縄文土器の美を発見する。そして大阪万博では、あの『太陽の塔』を手がけ、その胎内に世界中の民族資料を集め展示することを発案した。岡本太郎の功績に感化された企画展であったが、常設展示室における詩人・和合亮一氏のリーディングパフォーマンス、コンテンポラリーダンサー・平山素子氏によるダンスパフォーマンスなど、福島大学の渡邊晃一教授らと協力し、それまでに試みてきた博物館とアーティストとの協働をさらに一歩すすめ展示資料・収蔵資料とのコラボレーションをおこなう事業だった。東日本大震災後、長くプロジェクトを

「岡本太郎の博物館・はじめる視点　博物館から覚醒するアーティストたち」

博物館があらたな創造の源泉となること、展示資料のあたらしい魅力発見を目的に福島県立博物館常設展示室で展示資料と岡部昌生氏のフロッタージュ作品など現代アーティストの作品を混在させた。ダンサー・平山素子氏の展示室でのパフォーマンスなどさまざまな関連事業も実施した。同時に企画展示室では岡本太郎の写真作品を展示した。

ともにすすめることになる美術家・岡部昌生氏との出会いもこの展覧会であった。

参加アーティストからは支持を得たものの、開催当初から「解説が不十分」「オリジナルの展示資料とまぎらわしい」など同展にたいする評価は同館内ではきわめて低調で、構想していた継続的展開に発展することはなかった。しかし、東日本大震災後の福島県立博物館のアートをとおしての多くの取り組みはここに端を発しているといっても過言ではなく、このタイミングでの同展開催に担当者としては運命的なものを感じている。

2　二〇一一年三月一一日から

二〇一〇年から二〇一二年まで福島県の主催、福島県立博物館が主体でおこなった「会津漆の芸術祭」は、伝統的な漆の産地、加工地、販売拠点である会津地方に立地する博物館として、アートの柔軟な発想とすぐれた漆工芸技術の相互乗り入れにより、両者に刺激と発想を提供するために企画した。会津若松市と喜多方市、さらに中山間地の昭和村、三島町の公共施設や酒蔵などに展示会場を設け、周辺市町村で漆を学ぶ見学会、ワークショップなどをおこなった。以後、博物館活動を館外で展開する機会が飛躍的に増加する。この際に博物館が長くおこなっていた地域資料の調査活動等で培われていた信用、人的ネットワークがおおいに役に立った。

二〇一一年度がはじまる直前、三月一一日に発生した東北地方太平洋沖地震のため、「会津漆の芸術祭」との、全会津地域での連携を意図して企画していた奥会津地方が舞台となる「奥会津アートガーデン」は中止となった。二年目の「会津漆の芸術祭」は「東北

太陽の塔

『太陽の塔』は、岡本太郎の主導により一九七〇年大阪で開催された日本万国博覧会テーマ館の中心に建造された。会期中、会場には多数のパビリオンが林立したが、現在は万博記念公園のシンボルとして唯一『太陽の塔』がのこる。内部には生命の進化を表す巨大なオブジェ「生命の樹」があり、近年修復が完了し公開されている。

東北地方太平洋沖地震

二〇一一年三月一一日午後二時四六分に三陸沖で発生したマグニチュード九、最大震度七の巨大地震。死者一万九六三〇名、行方不明二五九六名（総務省発表・平成三〇年三月一日現在）。福島県立博物館のある福島県会津地方は大きな被害を受けなかったが、福島県浜通り、中通り地方は被害が大きく、続く原発事故がさらに被害を拡大させた。

へのエール」をサブタイトルに掲げ、震災後全国から寄せられはじめていた復興支援の声の受け皿として機能することで、予算の大幅な減額があったものの継続が決まった。この継続という判断がじつに大きな意味をもっていたことは時間を重ねるごとに実感していった。「会津漆の芸術祭」のスタートが一年ずれこんでいたら「奥会津アートガーデン」同様開催することなく中止の決定がくだされ、福島県立博物館の文化芸術による復興支援、その後の展開はかなり縮小した規模にとどまっただろう。

多くのアーティスト、筑波大学・東北芸術工科大学などの美術系大学、アーティストで東京藝術大学美術学部長の日比野克彦氏によるHEARTMARK VIEWINGなどワークショップ実行団体、東京都による文化芸術を活用した被災地支援事業ART SUPPORT TOHOKU—TOKYOなどが「会津漆の芸術祭」と福島県立博物館を窓口に、福島への支援を申しでてくれた。ここにすべてのお名前をあげたいほどに、いまでも感謝の気持ちは忘れない。その多くは「岡本太郎の博物館」展に参加してくれたアーティストであり、「会津漆の芸術祭」でむすばれた縁によるものだった。

博物館は文化施設としての役割によって復興に寄与できる。その実感を得た二〇一一年はひたすら疾走をはじめた年であった。

HEARTMARK VIEWING
震災後、アーティスト日比野克彦氏がはじめた参加体験型ワークショップ。端切れを使って布にハートマークをアップリケのように縫いつけ、さらにそれをつなぎあわせていく。日比野氏はワークショップの目的を「そこにいていい理由をつくる」と語っていた。だれもが参加しやすく回を重ねたワークショップとなった。

Ⅱ　記憶の記録

1　岡部昌生フロッタージュプロジェクト

東日本大震災は次年度予算案決定後の年度末におこったため、二〇一一年には予算上の裏づけをともなう自主的な文化事業は実施できず、他団体からの支援、前年度中の実施決定事業内での活動がほとんどだった。

ようやく福島県立博物館が文化芸術による復興支援に自主的、積極的にとり組めるようになったのは二〇一二年度である。文化庁の支援を受けて「はま・なか・あいづ文化連携プロジェクト」を立ちあげてからであった。「はま・なか・あいづ文化連携プロジェクト」は、この後、六年間実施し、福島県立博物館が事務局を務めることになる。震災後の復旧、復興、社会状況の変化に合わせて各年度の事業は、被災地支援のワークショップから福島の現状の発信と共有をテーマとしたフォーラム、シンポジウムなど多岐にわたり内容は変化した。大変残念だが、すべてを紹介することはできない。そのなかで六年間継続した事業が「岡部昌生フロッタージュプロジェクト」であった。

フロッタージュの手法で歴史の記憶、痕跡を記録しつづけている美術家の岡部昌生氏は、前述の二〇〇九年企画展「岡本太郎の博物館」に参加していただいた。震災直後、博物館やアートに何ができるかを考えた時、まず脳裏に浮かんだのが岡部氏だった。実際に存在するモノへの接触、転写、集積と制作にいたるまでの綿密なリサーチを特徴とする岡部氏の仕事は、日頃現地調査に親しんでいる博物館に勤務する者としてふかい共感をもってい

「はま・なか・あいづ文化連携プロジェクト」
二〇一二年から文化庁の支援を得てはじめた文化芸術による復興支援事業。被災地のコミュニティ形成、震災・事故の作品による記録、対話の場の創出、福島の課題の共有、県外での発信、文化による連携の構築などを目的に、福島県内の博物館、大学、NPOなどと連携しておこなった。福島県内の被災地でのリサーチ、トークイベント、ワークショップなどからはじまり、変化する震災後の状況を伝えるため福島県外での活動も増えていった。現在に続く多くのつながりがこのプロジェクトによって生まれていった。文化庁の支援にふかく感謝している。

た。震災から一年、ようやく自主的な活動が可能となって真っ先に参加を要請し「岡部昌生フロッタージュプロジェクト」がスタートした。

2　見えない痕跡　飯舘中学校

プロジェクトの本格始動に先立って岡部氏を最初に案内する福島県内の地は飯舘村と決めていた。地震による被害をほとんど受けなかった飯舘村は、東京電力福島第一原子力発電所の事故による放射能汚染で二〇一一年六月、全村避難を余儀なくされる。福島でおきたことは、すさまじい津波被災地の破壊に目を奪われると見えなくなる。福島に終わりの見えない災厄をもたらしたものは目に見えない。五感のいっさいにふれることがない。

風を描くには、風に吹かれてなびく枝葉や舞いあがる落ち葉を描くしかない。風によって生じた変化をとおしてわたしたちは風を表現する。原発事故後の福島にむきあう時、わたしたちは想像力と感受性をもとめられる。北風なら冷たいと感じ、春一番ならかすかな南からの陽光を感じるが、放射線は何も見えず感じない。原発事故の被害はその前後の変化、喪失に現れる。記憶の蓄積、想像力、文化は原発事故により生じた事態に何かができるはずだ。

「日本で最も美しい村」連合に加入する阿武隈高地の山村、飯舘村に無人の地域が広がった。水の張られない水田にはタンポポが広がり、学校から子どもの声が消えた。そこに福島と日本がかかえた巨大な問題が集約されている。博物館がこの事態にむきあい何ができるか途方にくれるなかで、歴史と社会にコミットしつづける美術家・岡部昌生氏は希望であった。

一　高原の空　ひかる風
大火　花塚見はるかす
飯舘の地の　さやけさよ
校舎にひびく　歌ごえも
鳥と高さを　競ってる
ああ　われらの飯舘中学校

二　古い歴史を背に負って
未来をひらく足音よ
山のかなたの潮騒を
心の海に育てつつ
緑の村を守りゆく
ああ　われらの飯舘中学校

三　高くそびえる　時計塔
斜面に揺れる　コスモスに
夢はぐくんで　三年の
学び遊びの　貴さよ

写真1　飯舘中学校をおとずれた岡部昌生氏（2012年4月25日）

栄えあれ　ここに生きるもの
ああ　われらの飯舘中学校

まだあたらしい校歌の石碑にきざまれた歌詞は大岡信によるもので作曲は一柳慧。
「栄えあれ　ここに生きるもの」
その願いをこめてポストカードにこすりとった歌碑のフロッタージュが震災と原発事故後の福島における岡部氏の最初の制作活動となった（写真1）。

3　南相馬市博物館　拠点としての地域博物館

事故をおこした東京電力福島第一原子力発電所に近い南相馬市博物館は歴史にきざまれることだろう。福島県立博物館は福島県の西部会津地方に立地し原子力発電所事故の現場からは一〇〇キロ以上離れている。同じ博物館として被災地に立地する南相馬市博物館との連携はプロジェクトの成否をにぎる。同時に重要なことは博物館がネットワークを形成し交流をふかめ、単館でなしえない事業を立ちあげること。「岡部昌生フロッタージュプロジェクト」は、その試金石であった。

被災地である南相馬市博物館に勤務する学芸員も被災者である。さらに歴史・民俗・自然を中心に展示をしてきた同館がたずさわったことのないアートプロジェクトの計画をも

大岡信
一九三一—二〇一七。静岡県三島町生まれの詩人、評論家。一九七九年から朝日新聞に「折々のうた」を連載。二〇〇三年文化勲章を受章。武満徹、一柳慧ら作曲家との共作、美術家との交流も多い。一柳慧とは合唱曲、オペラを共作している。

一柳慧
一九三三—。神戸市生まれの作曲家、ピアニスト。戦後日本の現代音楽を代表する存在。ジョン・ケージにピアノを学び、前衛的な音楽活動を展開。テレビドラマからオペラ、交響曲まで領域は広く、雅楽、声明など日本の伝統的音楽のための作品も意欲的に発表している。二〇一八年文化勲章を受章。

ちこむことには緊張があった。うやうやしく展示された「古い」「たいせつな」ものを「学ぶ」施設が博物館であると考える人がいまでも圧倒的多数であろう。それは利用者だけではなく当事者、関係者にも同じように浸透している。状況は変わりつつあるだろうが、文化芸術の愛好者、博物館の利用者をはじめ「アートぎらい」は諸方面に根強く浸透していることに、関係者はもっと敏感であるべきだと思う。後に、同館学芸員の二上文彦氏は、当時は南相馬を伝える手立てをさがしていたと語った。アートはわからなかったとも。被災地の博物館として獅子奮迅の活動をしていた同館は、岡部氏のフロッタージュに理解を示してくれた。これまで広島市や茅野市の資料館、博物館でおこなった岡部氏の協働の取り組みに親和性を感じられたためかもしれない。なによりも真摯で誠実な人間性が、被災の傷もなまなましい地域の人びとに受け入れられたのであろう。福島県立博物館がコーディネートしていることに多少の安心感と信頼をもっていただけていたのならうれしい。「岡部昌生フロッタージュプロジェクト」を皮切りに、「はま・なか・あいづ文化連携プロジェクト」をとおして実施した南相馬市のプロジェクトは、南相馬市博物館との協働、伴走によってなりたっていく。後に同館独自で企画展が開催されるにいたる。

4　震災の痕跡にふれる　フロッタージュという技法

南相馬市博物館、福島県立博物館、そして各被災地域の文化施設が、震災の記憶の記録と継承と保全にとり組んでいる。課題は**震災遺構**の保全で役場庁舎や学校など建築物がおもな対象となり、博物館がかかわる範囲は大きくない。福島県立博物館でも「震災遺産保

震災遺構
東北地方太平洋沖地震と東京電力福島第一原子力発電所事故の複合災害である東日本大震災は震災の痕跡を無数にのこした。市街地に漂着した船舶、避難所となった庁舎、流失を免れた防潮林などは震災の威力と教訓を伝える。つらい体験を想起させるため解体する、教訓として保存するという両者の立場から保存、活用が議論されている。

全プロジェクト」を立ちあげさまざまな資料を収集している。流出した常磐線の線路など大きな資料もふくまれているが、収集には限界がある。建築物本体を収蔵して展示はできない。

東日本大震災と阪神淡路大震災でことなる点のひとつとして、しばしばとりあげられることは通信映像メディアの発達である。だれもが携帯電話やスマートフォンをもち、膨大な映像データが蓄積されるなか、津波が巨大な力できざみつけた痕跡を、復旧作業が不断の営為で消していく。圧倒的な存在感のあるモノが次つぎと消滅していく震災遺構。なまなましいリアリティをもちながらデジタルデータの世界にしか存在しない画像。あまりにも大きな出来事の記憶と痕跡をのこし伝えることに、あきらめにも似た徒労感を感じるなかで、岡部氏のフロッタージュは一筋の光明であった。

南相馬市、浪江町の海岸では破断した防潮堤を容易に見ることができた。防潮堤の断面は日ごろ目にすることはない。不思議なオブジェのように散乱したコンクリート塊は、津波の力をまざまざと見せつける。津波の威力を示す震災遺構としてはきわめて有意義だが、防潮堤工事が急ピッチですすむ海岸線にあったこれらの遺構はいちはやく姿を消した。

岡部氏は二〇一二年から防潮堤の断面を何点かフロッタージュしている（写真2）。防潮堤は数メートルのコンクリート製のパーツをつないでつくられており、接合部にはアスファルトがもちいられていた。

写真2　浪江町・防潮堤のフロッタージュ（2013年7月11日）

そこが破断した。その破断面のフロッタージュはアスファルトの凹凸をうつしとり、引きちぎられた肉片を思わせる。現在、被災地各所で海岸線をおおいつくしている巨大防潮堤にくらべれば小規模なものだが、それでも岡部氏がフロッタージュにもちいるキャンソン紙を何枚も貼り継がねばならない。人間の身体感覚からすれば十分巨大な構築物である。

海岸線が見えない内陸部に消波ブロックが点在する風景は、震災後のいっとき見られた印象的な風景だった。青い夏草の野原となった水田のなかに点在する消波ブロックは、使命であった波をふせがず、本来守るべき家屋を破壊しながら海岸から何十メートルも転がってきた。波打ち際に配置されている消波ブロックを遠望していると大きさの実感がないが、近くに寄ると巨大なコンクリート構造物であるとあらためて気がつく。そして表面にきざまれた無数の擦過痕が見えてくる。打ちあげられたブロックは津波で内陸に運ばれるあいだ、あるいは瓦礫の撤去作業でついた傷跡にまみれていた。とてつもない力に翻弄され、本来の役割もはたせず横たわる身を恥じているように思えた。いま、散乱していた消波ブロックはない。傷だらけの消波ブロックがあったことを伝えるたしかな証言者は、無数の傷痕をこすりとった岡部氏のフロッタージュだけとなった。

5　屍の道

消波ブロックには、忘れられない風景がある。南相馬市小高区は東京電力福島第一原子力発電所を中心に設定された二〇キロの円内に事故直後からふくまれてしまったために一年間は立ち入りが禁止され、復旧は手つかずだった。復旧どころか救助活動が制限されたために失われた命があったことを忘れてはならない。

津波の被害が甚大だった地域の多くが、かつての浦と呼ばれる浅い入江であった。浦を海からきりはなし、排水して農地に造成した土地であったことにわたしたちは震災後に気づく。農地造成事業を称えるため各所に立つ石碑に気づいたのも震災後だった。食料増産のために造成された土地に人が暮らすようになったことで津波の被害は甚大になったといえる。

震災から二年をすぎたころの二〇一三年三月、小高区井田川に立った。井田川地区は約一年のあいだかつての浦にもどっていた。復旧工事がはじまり、排水が終わって荒涼とした干からびた砂漠のような風景が広がっていたが、そこに無数の生命の痕跡を見いだした時は衝撃が走った。水没していた消波ブロックや自動車はびっしりと小さなフジツボにおおわれていた。フジツボにおおわれた面とそうでない面との一線は明瞭に海水面を示しており、水中のゆたかな生命の痕跡である。自然の回復力は力強い。一年でもどってきたフジツボは水を浄化し、いつかもどる魚たちを待っていたのではないだろうか。さらに水鳥があとを追ったことだろう。かつて南相馬ではウナギがふんだんにとれたと聞く。汽水域でもある浦はゆたかな生命を育む子宮のような場であったのだろう。津波でもどった浦がのこせればよかったといまでもわたしは思っている。二〇一八年宮城県南三陸町の志津川湾はラムサール条約湿地に登録された。津波でもどった井田川浦がなんらかのかたちでのこせれば、東日本大震災を語り継ぎ、南相馬の原風景を保存する場となりえた。美しい風景のなかで祈りを捧げる鎮魂の場ともなっただろう。

フジツボは水没していた道路面をもおおっていた。そこを歩くと一歩一歩の靴底からカ

ラムサール条約湿地
条約の正式名称は「特に水鳥の生息地として国際的に重要な湿地に関する条約」。採択された国際会議の開催地イランのラムサールの名にちなむ。「国際的に重要な湿地及びそこに生息・生育する動植物の保全を促進するため」の条約だが、保全のみならず「賢明な利用促進」も目標に掲げられている。

写真3　フジツボのフロッタージュ（2013年3月22日）

シャカシャと音がする。小さな生命の屍がくだけていく音と感触が足もとから伝わってきた。岡部氏と同行した写真家・美術評論家の港千尋氏は「屍の道」と呼んだ。そこもいまは「復旧」していることだろう。

　忘れられない体験をしたこの場所の記憶もかろうじて岡部氏がフロッタージュでこすりとった（写真3）。消波ブロックをおおうフジツボは指でふれると案外に硬く、チョークを走らせるキャンソン紙はいたるところでやぶれ穴が開いた。紙の裏面にはフジツボの死骸も付着している。

　震災と人の行為が生みだしたモノにアーティストがふれたたしかな痕跡、それがたしかに「あった」という証言者としての作品だ。福島における「岡部昌生フロッタージュプロジェクト」は、そこに「ある」モノに人が「ふれる」フロッタージュの特徴を最大限に活用し震災の痕跡をとどめる試みであった。膨大な画像データとともに、伝えられねばならない歴史資料としての価値はきわめて高い。一枚の紙をはさんで人の手がモノにふれることでこすりとるフロッタージュは、モノをうつしとる技法のなかでデジタルデータの対極にある。時を越えて二〇一一年を伝えられるものはどちらか。博物館はアナログに軸足をおくべきだとわたしは信じている。作品の小さな穴はもののいわぬフジツボの声をかよわせる通路にも見え、おまえたちは何をしているのだ、と問いかけが聞こえる気がする。

6　イグネ　被爆樹と被曝樹

南相馬市とともに「岡部昌生フロッタージュプロジェクト」がかよいつづけた土地が、最初にたずねた飯舘村であった。放射線に起因する課題の作品化は容易ではない。南相馬市には数々の津波の痕跡、被害を伝える近代の記憶をきざんだ碑がのこされていたが、飯舘村には目に見える地震、津波による破壊の痕はない。だが、ふりそそいだ放射性物質の除染作業は村の姿を無残に変容させた。表土をはぎとられた農地には丘を切りくずし採取された土砂がしきつめられ、土地の人は「除染砂漠」と呼んでいた。除染作業は住居周辺の樹木にもおよんだ。木々に付着した放射性物質のため線量が下がらず多くの屋敷林が伐採された。

飯舘村をふくめ南相馬市、相馬市周辺の旧相馬藩領では住居を風雨から守り、燃料を得、将来の建築木材とするために住居周辺に植樹された屋敷林をイグネと呼ぶ。イグネがつぎつぎに伐採されていることを飯舘村の文化財にくわしい佐藤俊雄氏が教えてくれた。佐藤氏に飯舘村内の石造物、馬頭観音碑、磨崖仏など路傍の神々を案内していただき、村の信仰、歴史を学んだ。村の文化として佐藤氏が神々のつぎに、われわれを導いてくださったのがイグネだった。村の景観を形成していたイグネがいくつか消えたという。「岡部昌生フロッタージュプロジェクト」が飯舘村でとり組むべき対象が決まった（写真4）。

飯舘村佐須地区は村民はじめ遠方からの信仰も集める山津見神社の近くで、神社の氏子のひとり佐藤公一氏の住まいも佐須にある。佐須の佐藤氏の協力を得られ、話をお聞きするうちに佐藤氏のイグネの歴史を知る。佐藤氏家族は戦後、満州から引き揚げこの地を開拓した。農地に適した土地ではなく手間暇をかけてじょじょに農地を開いてきた。イグネを伐採し広々とした庭には開拓の際に除去した大きな石がいくつも転がっていた。イグネの杉は佐藤氏が小さかったころに植えたもので、七〇年ちかい杉もあった。往時のイグネの姿は知る由もないが、現在もネット上の空撮映像にはこんもりした緑の樹々がうつっている。イグネはすべて伐ってしまったが、開拓時から生えていた柏の木だけは伐らなかった。どうしても「気になる木」なのだと佐藤氏は笑って教えてくださった。佐藤氏は声高に話すことはなかったが、淡々と話される内容には怒りが感じられた。

写真4　飯舘村のイグネのフロッタージュ（2016年5月2日）

写真5　飯舘村のイグネの切り株（2015年10月15日）

　放射性物質が付着し伐らねばならなかったイグネの切り株は、飯舘村の被害の本質を訴えている（写真5）。原発事故は被害まえの何を失ったかに現れる。事故まえと変わらず存在する帰れない家や入れない森、信頼、プライド、近所づきあい。

伐採されなかった樹々は被曝しつづけている。一度は人間が避難しなければならなかった地で立ちつづけている。線量、安全性の議論と同時に被曝しつづけた木への想いもたいせつだ。岡部氏のフロッタージュは、村民同様「ここに生きるもの」である飯舘村の樹々の表情もこすりとりつづけた。桜、欅、杉、赤松、佐藤公一氏の「気になる木」の柏も。

広島でとり組みつづけている被爆樹のシリーズは、原爆を生きのびたサバイバーである広島市内の樹木をこすりとる岡部氏の代表的な作品で、二〇一一年以降は広島の「被爆樹」に福島の「被曝樹」が対をなす。ヒロシマ・フクシマと並置するふたつのヒバクジュ「被爆樹」「被曝樹」は問いつづけている。

7 対話の時間

岡部昌生氏のアートの作法では対話と協働が重視される。南相馬で多くのかたと対話をかわした。南相馬市博物館の学芸員はもちろん、原発の危険性にいちはやく警鐘を鳴らしつづけていた詩人・若松丈太郎氏、南相馬市で化石の調査研究を続けている研究会のみなさん、たびたび宿泊させていただいた民泊のオーナー、被災地の生の声を聞かせてくださった飲食店経営者。こうした人びとが岡部氏のプロジェクトに共感をもち、プロジェクトの一端を支えてくださった。

博物館では地域の研究者との共同研究、住民からの聞きとりはめずらしくないが、岡部氏のフロッタージュプロジェクトでは、岡部氏は表現者、アーティストであると同時にひ

被爆樹のシリーズ
美術家・岡部昌生氏は一九八〇年代後半以降、原爆の痕跡をテーマに制作を続けている。広島平和記念公園の参道、旧国鉄宇品駅遺構、旧日本銀行広島支店などで制作するほか、原爆の証言者でもある被爆樹木のフロッタージュにとり組んでいる。爆心から半径2キロ以内では半数の樹木の幹が折れたとされるが現在一六〇本がのこる。

とりの学徒としてふるまう。南相馬市博物館でおこなわれたワークショップでは、学芸員から解説を聞き、参加者と椅子を並べて館の収蔵資料をフロッタージュした。研究成果のため、作品制作のためだけに情報を集めるのではなく、ともに学び考える場を生みだすためにみずからを学ぶ人として設定する。かかわる人びとは岡部氏に自分の経験、知識を伝え、受けとった岡部氏はそれを作品に反映し人びとに提示する。人びととの対話が美術家によって作品としてかたちをなし、その作品がまた対話を生みだす。そうした循環を南相馬の人びとと共有した体験は、共創の場としてのミュージアムの未来を垣間見せてくれた。

対話のもうひとつのありかたは多数の参加者が同じ場で意見をかわすラウンドテーブルだ。講師からの聴講を基調にすえるのではなく、自由に対話し、広がっていく。南相馬市では地域の理解をふかめるためにラウンドテーブルを何度も開催した。自由な対話はわたしたちも慣れていない。会議、議論を円滑にすすめるため震災後、ファシリテーターということばをしばしば耳にしたが、岡部氏のラウンドテーブルにファシリテーターが加わったことはない。最初は参加者のだれしもが無口だが、しだいに各自の思い、考えを語りはじめ、いつも時間がたりなかった。揺らがない理念、意志をもった美術家の存在が参加者をむすびつけたのだろうか。

南相馬市ではじまったラウンドテーブルは、広島、札幌その他でもおこなわれた。若松丈太郎氏は、原爆は核の悪用、原発は核の誤用と指摘した。広島でのラウンドテーブルは、長年岡部氏とアートプロジェクトを継続しているサポーターのかたたちの協力を得て開催できた（写真6）。福島県内とはちがう緊

ファシリテーター
会議の場では時に発言者の見解の一方的発表、否定的な発言、意見の対立によって進行が停滞してしまう場合がある。その際に中立的立場で円滑な進行をうながす役割がファシリテーターにもとめられる。震災復興にかかわるさまざまミーティングなど多くの場で活躍した。

写真6　広島でのラウンドテーブル（2013年10月12日）

張感につつまれた対話の時間をすごし、重いテーマをかかえ参加者全員がたがいに共感をもち帰ることができ、充実感は大きかった。

岡部氏の拠点である札幌市では、飯舘村から北海道に避難した酪農家が発言してくださった。松本市のアートを中心に地域の文化拠点になるアートスペース awai art center ではオーナーのふかい協力があった。長岡造形大学では展示作業からかかわった学生を中心に多数の参加者が集まった。いずれも忘れがたい充実した時間だった。展覧会場での展示で作品にすべてを語らせ完結する展覧会などが芸術系の事業では現在も主流であろうが、福島の現状にふれるにはさらに積極的に社会との接点をもとめる意志が必要となる。多様な対話、意見の交換を導きだすアートプロジェクトの役割は、岡部昌生フロッタージュプロジェクトが教えてくれたもののひとつであった。

awai art center
長野県松本市にあるアートスペース。二〇一六年四月にオープン。awai は距離、関係を表す「間《あわい》」の意味で、視野を広げ、思考のヴァリエーションを許容するアートの役割が命名にこめられている。毎年クラフト、音楽の大規模イベントが開催される文化的土壌がゆたかな松本にあって新鮮で意欲的なアートを紹介、支援している。

Ⅲ 鎮魂のかたち

1 片桐功敦 Sacrifice

華道の家元に会ってみませんかと紹介され、上野の喫茶店で会った片桐功敦氏は、「家元」の響きとイメージを鮮やかにくつがえした。そのときは花で福島の支援をできないかというご相談だったと記憶している。拝見した作品の写真の一枚には縄文土器に生けられた満開の桜の一枝がうつっていた。この出会いが、片桐氏と福島の出会いに発展していく。文化芸術による復興支援事業として二〇一三年九月に福島県三島町で開催された「週末アートスクール「草木をまとう　草木を飾る」」が片桐氏の福島県内での最初の活動となった（写真7）。

「週末アートスクール」は東京都の文化芸術による被災地支援事業のひとつとして、二〇一一年一一月、アーティストの日比野克彦氏による西会津町のプログラムからスタートした。放射線量の心配がない会津地方で芸術にふれる機会の提供、プログラム実施による地域コミュニティの活性化、実施主体の育成を目的に二〇一三年三月までに一〇回を重ねた。東日本大震災の直前まで準備を重ねながら中止を余儀なくされた「奥会津アートガーデン」のネットワークが「週末アートスクール」の基盤として機能した。

写真7　週末アートスクール「草木をまとう　草木を飾る」（2013年9月14日）

2　草木をまとう

「草木をまとう　草木を飾る」では、奥会津と呼ばれる福島県西部の中山間地域三島町を舞台に参加者が野山の草木を採集してもち寄り、片桐氏と参加者が共同して参加者の身体を草木で飾りつけポートレートを撮影した。このプログラムは好評を得て「森のはこ舟アートプロジェクト」のプログラム「草木をまとって山のかみさま」として西会津町で開催された。西会津町の大山祇神社は県内外の信仰を集める由緒ある神社で、草木をまとった

森のはこ舟アートプロジェクト　主催は同実行委員会、福島県、共催は東京都、アーツカウンシル東京（公益財団法人東京都歴史文化財団）。二〇一四年から二〇一六年まで福島県のゆたかな森林文化をテーマに福島県会津地方、南相馬市でワークショップ、トークイベント、展覧会をおこなった。地域コーディネーターを中心に地域資源とアートの交わりを模索した。

参加者が山の神さまとなって神社に詣でるという趣向である。週末アートスクールはスタート当初から、地域の歴史、文化資源を素材として活用し、アートに親しむとともに地域への理解をふかめることを重要な目的としていた。ここに地域の博物館が事業に参画する意味がある。アーティストは年中行事、食文化、自然環境など地域文化の豊富な素材を創造の糧とし、博物館は地域文化の再発見と活性化に貢献できる。この時の参加者有志が中心となって、草木をまとうパフォーマンスをおこなうグループI am flower projectが結成された。県内外でワークショップが開催され、現在も毎年大山祇神社でのパフォーマンスが自主的におこなわれている。博物館とアートプロジェクトの協働によってあらたな年中行事が誕生した事例といえる。

3　ミズアオイ

会津地域での活動と並行して、「はま・なか・あいづ文化連携プロジェクト」の一環として片桐氏の活動が展開していった。きっかけが「ふくしまレッドリスト」で絶滅危惧Ⅱ類に分類されている植物ミズアオイである。ミズアオイは北海道から九州までの湿地、湖沼、水田、水路などに広く生育していたが、水路の改修、除草剤、農地整備などにより近年は身近な植物ではなくなっていた。

ミズアオイという見慣れない花の群落が現れました、との連絡が南相馬市博物館の学芸員からあった。東日本大震災による津波は表土を攪拌し、それまで休眠していたミズアオイがいっせいに開花したというのである。それまで、ミズアオイの花を見たこともなけれ

ふくしまレッドリスト
福島県内の絶滅のおそれのある種をリストにまとめたもの。野生動植物を絶滅させないための基礎データとなる。福島県生活環境部自然保護課により現在二〇一八年版が公表されている。

ば名前を聞いたこともなかったが、空の蒼をうつしたかのような鮮やかで清らかな花に魅せられた（写真8）。その可憐な花が多くの人命を奪った津波によってもたらされたことに、ふかいメッセージを感じとった人はすくなくなかっただろう。このメッセージを託すべき人として片桐氏が思い浮かんだ。

二〇一三年以後、片桐氏は足しげく南相馬市へかよい、「はま・なか・あいづ文化連携プロジェクト」で依頼した長期滞在制作も交え、南相馬市、浪江町で精力的に制作活動をおこなった。津波で破壊された建物の窓辺、何事もなかったように波が打ちよせる海岸、南相馬市内の遺跡から出土した縄文土器、原発事故による避難のため置き去りにされ餓死した牛の頭骨、被災地の長い歴史をきざむさまざまな場所、モノに花は生けられた。いや、捧げられたというべきか。

写真8　南相馬のミズアオイ（2015年9月4日）

二年たっても津波の傷跡がなまなましいかつての住宅跡や津波がかけあがった海沿いの断崖で、主人を失った庭の花、塩害にも屈しない野の花をそっと生ける片桐氏の姿には、だれしもが被災地をめぐり歩き、亡くなったかたがたを悼む巡礼者の面影を見るだろう。

野外での活動とともにおこなわれたのが、南相馬市の歴史や民俗資料に花を生ける表現だった。被災地と呼ばれることになった地域にも長い歴史がある。それを顧みることなく被災状況にのみ注目することが片桐氏にはできなかった。長い時間を南相馬市ですごし、そこに暮らしてきた人びとと心をかわし、この地をふかく知らずに自分の制作は成立しないと確信したのだろう。著名な作品を展示し、入場者数をかせぐばかりが地域博物館の使命ではない。朽ちてしまいそうな資料を埃にまみれながらさがしだし、お茶飲みにつきあいながら、地域の高齢者の声を聞く地道な泥くさい作業が地域博物館の日常だ。片桐氏のふるまいは地域博物館の方法にちかい。片桐氏の制作姿勢に欠かせないパートナーとなったのが南相馬市博物館である。地域の記憶が集積されている博物館と、アーティストの感性の協働があってこその、花によって震災と原発事故の記憶を継承する試みである。東北地方太平洋沖地震により引きおこされた津波と、東京電力福島第一原子力発電所事故の二重の傷を負い、福島県下でもきびしい状況におかれた南相馬市に、南相馬市博物館があった意味は大きい。片桐氏のプロジェクトをはじめとした福島県立博物館がかかわったアートプロジェクトは、南相馬市博物館との協働なくしては成立しなかった。同館の学芸員はミズアオイをとおして、南相馬の原風景と津波被災の関係を学ぶ導き手となった。南相馬市での片桐氏の作品は、南相馬市博物館との共同制作である。

南相馬市を代表する縄文時代の遺跡・浦尻貝塚から出土した土器にミズアオイを生けた作品（写真9）は、南相馬における片桐氏の制作を代表する作品のひとつであり、南相馬市博物館の協力なくしては生まれなかった。浦尻貝塚はその名のとおり、かつてはおだやかな汽水域の浦であった水田を眼前に見おろす高台に位置している。かつての浦に帰ってきた津波により、浦尻地区は大きな被害を出した。ミズアオイは人が暮らしはじめる縄文時代のはるかまえから、この地で育っていたはずだ。わたしたちが桜を愛するようになるはるか以前に縄文人はきっとこの花をできのよい土器に飾ったことだろうと二一世紀の華

写真9　縄文土器にミズアオイを生けた作品

写真10　弥生土器に稲穂を生けた作品

道家は考えた。しかし、この国の原風景ともいえる陸と水のあいだ、水辺を好むミズアオイは、採集に基盤をおく縄文文化から稲作中心の弥生文化への転換により厄介者となる。華道家の視線は、稲にもむけられた。

4　試験栽培の稲

縄文土器にミズアオイを生けた作品の対として、片桐氏は弥生土器に稲穂を生けた作品を制作した（写真10）。もちいられた稲は当時試験栽培しか認められなかった南相馬市鹿島区の田で育てられた、人の口には入らない稲だ。稲を育てている田は、かつての浦を干拓してつくられた。制作に立ちあった時、一束の稲穂がしだいにまがまがしいものに変貌していくことにおどろいた。

化石燃料も原子力発電もなかった時代、帆船や水車などをのぞけば動力は家畜と人力しかなかった。人力を発揮するためのエネルギー、燃料に相当するものが食料の米であった。近世から昭和初期まで南相馬市沿岸の浦は米を増産するため干拓、新田開発がすすめられ、その後、米あまりによる減反制作がすすむとやがてそこには住宅が増えていった。津波はかつてそこが浦であった干拓された地域をのみこみ被害が拡大した。津波の被害、原発事故の遠因にはエネルギー増産と自然との共生の課題がかかえられていることを、ミズアオイと稲の生け花は語っている。

震災と原発事故からはじまった華道家・片桐功敦と南相馬市博物館の縁は、多くの命を奪った津波で再生したミズアオイによってむすばれ、南相馬市滞在中の鎮魂・追悼の作品制作を機にさらにふかまった。当初は震災にかかわる作品が多かったが、南相馬市博物館との協働をとおして、しだいに南相馬市の歴史・文化をほりさげるものになっていった。二〇一五年には南相馬市博物館の自主企画で片桐氏の展覧会「SACRIFICE　眠る地層にささげる花」が開催された。南相馬市博物館が収蔵する考古・歴史・民俗・自然分野の実物資料とそれらに現地で採取した花を生けた片桐氏の写真作品によって、先史時代から原発事故までの南相馬市の歴史を花でつなぐ意欲的な展覧会であった。接点のなかったアートの領域も視野に入れ、博物館の活動が拡張し、文化施設として飛躍した南相馬市博物館。文化芸術による復興の大きな財産といえるだろう。

SACRIFICE　眠る地層にささげる花
片桐氏写真作品と同館所蔵資料のコラボレーション展示。南相馬市博物館主催。会期は二〇一五年一〇月二四日～一二月六日。会期中、記念フォーラム「希望としてのRewilding（再野生化）」が同館で開催された。パネリストは赤坂憲雄（福島県立博物館長）、片桐功敦（花道みささぎ流家元）、管啓次郎（明治大学教授・詩人）。

5　安田佐智種　暮らしの記憶　みち〈未知の地〉

初対面のアーティスト・安田佐智種氏と福島駅前で出会った。都市をうつした膨大なデジタル画像をもちい、人間の視覚では得られない複眼的な風景を構成するシャープな作品からいだいていたイメージと一致しない小柄な女性がそこにいた。出会ったあと、どこへむかったのかおぼえていない。南相馬市だったろうか。その後何度か聞くことになる彼女のことばをこのとき聞いたかもしれない。ニューヨークを拠点に活動している安田氏は、これまで特別に祖国日本への思いを強くもったことはなかったという。ところがニューヨークに東日本大震災の被害が伝わるにつれて、日本への思いは高まった。その心境の変化に本人もとまどったという。

安田氏とは「はま・なか・あいづ文化連携プロジェクト」でごいっしょすることになる。安田氏の作品プランがいずれ震災の記憶の記録として有効に機能すると予感があった。安田氏は津波によって流失した家屋の基礎をモチーフにしたいと語った。瓦礫の撤去がすすむなか、津波の被災地で目につくものは津波に耐えかろうじてのこされた住宅の基礎だった。玄関の床に貼られたタイル、ユニットバス、便器、水道管などがわずかにのこる住宅の跡に立つと、見ず知らずのお宅におじゃましたような気持ちになる。家の持ち主と家族の無事を祈らずにはいられなかった。

写真11　請戸・安田氏の撮影風景（2014年8月8日）

6　一歩一歩

住宅基礎をモチーフにして、安田氏はカメラをかまえファインダーにうつりこむ範囲を一歩一歩すすみながら丹念に撮影する（写真11）。一軒の撮影に数百回はシャッターを切っているだろう。たんなる被災状況の記録ならドローンでことはたりる。そうではなく、一歩一歩、一コマ一コマ、フィルムにきざみこむようなくり返しの撮影は、細部を写し、移す、祈りの儀式に見えてくる。撮影は制作過程の一部にすぎず、パソコン上で膨大なデータを切り貼りして作品を再構成する。この作業を彼女は「引きこもり」と笑っていたが、わたしは儀式の一部のように想像してしまう。世界中の宗教儀礼から例を見いだせるだろうが、ある所作をくり返す行為によって、神に近づき、神が近づく。作家が意識しているかどうかにかかわらず、くり返すことで、作家は何かの力を得ているのだろう。儀式にもちいる道具はデジタルカメラでありパソコンである。

安田氏本人が語ったエピソードをひとつ紹介する。住宅基礎を撮影している時は、警戒の警察官や復旧作業関係者に会う以外、ほとんどひとりの作業だ。無人の津波被災地であれば当然だろう。それが、ある日、岡部昌生氏と同じ地域で制作することになり、声がとどくかどうかの離れた場所でそれぞれの制作をおこなっていた。安田氏が一歩一歩撮影していると、とつぜん老婦人が現れ、岡部氏を指して「あれはうちのじいか?」と尋ねてきた。「ちがいますよ」と答えても「うちのじいか?」とくり返し尋ねられる。何度もくり返したあと、ファインダーから目をあげると、もう老婦人の姿はなかったという。いささか怪談じみた出来事でアーティストの鋭敏な感受性による幻影なのか、被災地ではそんなこともあると自然に思えるし、アーティストはことなる世界への回路を開ける鍵をもっているのかもしれない。

7　インタビュー

津波のエネルギー、建築の強度、避難計画など、詳細な被災の記録は今後の防災に役立つにちがいない。同時に二〇一一年を生きた人間がこの災害に何を感じ、何を祈ったのか、心の記録ものこしたい。「はま・なか・あいづ文化連携プロジェクト」が参加作家に期待する視点でもあった。

写真12　請戸・安田氏によるインタビュー（2015年11月8日）

安田氏の活動に期待したことがある。それは被災者の心の記録。安田氏の作品は撮影とデータをもちいた作品制作で完結しない。撮影、作品制作に加え、震災まえに日々の暮らしを営んでいたかたたちのその後を知り、かつて慣れ親しんだ家での生活と現在の住宅での生活を聞き、両者を並置することで完結する。

「ここの縁側から、こうして夕陽をながめてね。こんなに広々とは見えなかったけど」そんなことばを聞いた気がする。安田氏によるインタビューに何度か同席した（写真12）。浪江町請戸は、福島県内の津波被災地のなかでもとくに甚大な被害を受け、東京電力福島第一原子力発電所の事故で満足な救助活動がおこなわれず、その後も立ち入りがままならなかった福島の複合災害を象徴する地である。そこで長らく教育の仕事にかかわってこられた紺野廣光先生のご自宅跡、西に晩秋の陽がかたむき、先生の温和な顔を照らしていた。慈しむように自宅の思い出を紺野先生は語ってくださった。避難先の新天地でのインタビューもした。真夏の山形県長井市の酒蔵は、入口をくぐると「銘酒磐城寿」の大きな看板があった。鶴亀に若松があさく浮彫された中央に「寿」の文字があるめでたい看板で、支援プロジェクトにより復刻されたと解説板が添えられている。福島県沿岸部「浜通り」で愛された日本酒「磐城寿」の蔵元も双葉郡浪江町請戸にあった。蔵はすべて流されてしまったが、酵母はべつの場所で保管されていたため、その味わいを絶やさずのすことができた。が、請戸での再開はむずかしく移転し、おちついた先は山形県長井市になった。

インタビューはかんたんではない。行政によるインタビューへの不満は何度か聞いた。被災したかたがたにとって、その体験や気持ちは、○×や三択式などで表せるものではない。現在の何気ない話題が話者の気持ちを和らげ、思わぬエピソードや体験を語ることもある。アーティストの安田氏にとってインタビューは慣れた作業ではない。だが、それゆえの新鮮さ、一語一語を逃すまいとする姿勢がインタビューに応じたかたがたの心を開いたのだろう。インタビューしたすべてのかたの協力を得られたわけではない。会えなかったかたや、プロジェクトそのものに懐疑的、批判的なかたもいた。傷を心身に負った人びとの懐にとびこむふるまいと理解しにくいアートという世界は安田氏に逆風が吹いていたとも思える。文化芸術、アートがすべての人びとによろこばれ歓迎されると考えている人がいるとすれば、それはまちがっている。アートと呼ばれる行為は人の感情にふれる。感情をゆりうごかすものがアートだから。摩擦、軋轢はさけて通れない。癒しの役割をはたすアートとともに数年、数十年後にこの震災と原発事故を想いおこさせ、当時の感情を伝えるアートが必要なはずだ。安田氏の作品はそのひとつとなるだろう。

いま現在はなんの価値ももたないモノ、はやく忘れたいと敬遠されるモノ、ふれないでくれと忌避されるモノ、いずれも博物館があつかうべきモノである。現在注目され、支持されている対象をあつかうのみでは、数十年後の博物館人になんの価値もないと切り捨てられる。博物館の活動も作品の真価もそのときにわかる。

Ⅳ　モバイルミュージアムの可能性

1　いいたてミュージアム

震災後、博物館の職務以外でも博物館学芸員の経験でお手伝いできる事業にたずさわれたのはありがたいことであった。東京電力福島第一原子力発電所事故による被害を受けた飯舘村を支援しようと立ちあがった支援団体「いいたてまでいの会」は、仮設住宅での演芸公演、避難先学校での田植え踊り伝承、民話紙芝居制作などさまざまな文化支援活動をおこなってきた。そのなかのひとつが「いいたてミュージアム」である。「いいたてまでいの会」の活動はときおりごいっしょしたが「いいたてミュージアム」はとくに興味ぶかく、できるかぎり積極的にかかわらせていただいた。活動をかんたんに要約すれば、飯舘村のかたにお話をうかがい、何かモノを提供していただき、集まったモノで展覧会を開催して飯舘村を全国に紹介するものである。その際に留意したことは、できるだけ、自宅、職場など身近な場所をたずねること、モノはとくに大事なもの、高価なもの、古いものにこだわらないこと、話は震災に関連することにかぎらないことである。とにかく話に耳をかたむけ、そこからしたたり落ちたようなモノを、敬意をもって収集する、それが「いいたてミュージアム」の基本姿勢である。

取材をともにしたいくつかの事例を紹介する。「いいたてミュージアム」の活動第一回のコレクションは、ちゃぶ台におかれていたチラシを折ってつくったゴミ箱と、茶の間に貼ってあった小さなメモからはじまった。

2　チラシのゴミ箱

活動第一回は「いいたてまでいの会」を支えてくださった村民のおひとりでもある荒利喜さんのご自宅をたずねた。そこで、「までい」なモノに出会った。飯舘村は「までい」な村づくりを標榜していた。「までい」とはまじめに、ていねいにといった意味である。原発はなく、周辺自治体との合併も選ばず、気象、地理条件に根ざした農業主体の自立した地域づくりを飯舘村はめざしていた。阿武隈高地の標高五〇〇メートル付近に位置し冷涼で、夏には太平洋側から吹く冷たい風「ヤマセ」に悩まされ、米づくりには相当努力が必要な土地だった。江戸時代にはたびたび凶作におそわれている。そのような地域だからこそ「までい」な暮らしがたいせつとされ、受け継がれてきた。折りこみチラシも無駄にしない（写真13）。テレビを見ている時間も無駄にしない。家庭の団欒の時間にも「までい」の心がしみわたっていた情景が目に浮かぶ。迷わず「このチラシのゴミ箱、いただいてもいいですか」と荒さんにお願いした。

3　茶の間のメモ

「放射線量計測記録」、それが荒さんの茶の間に貼ってあった一枚のメモにつけられた資料名だった。まだ全村避難が解除されず、日中しか村内ですごせなかった飯舘村のご自宅の茶の間でお話をうかがっていた時、柱に貼られた小さなメモが気になった（写真14）。あれはなんですかと尋ねると、奥様が一時帰宅のたびに家のなかや庭ではかった放射線量の記録だという。「までい」な気持ちでゴミ箱を折っていた日常に放射性物質はとつぜんふってきた。物理学の専門家でもなく、原発関連の作業員でもない、ひとりの飯舘村の村民が自宅周辺の放射線量をはからねばいられなかった事態を引きおこした罪ぶかさ。一枚の小さなメモは、

写真13　チラシのゴミ箱（2013年7月30日）

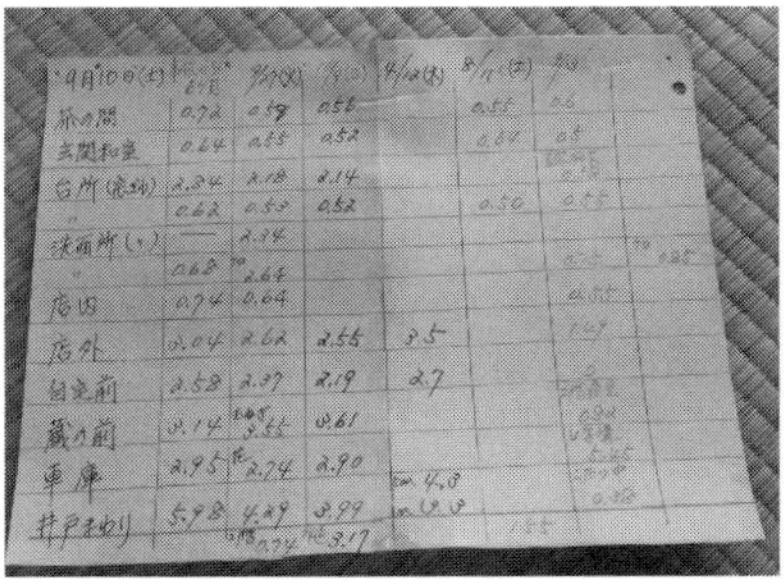

写真14　茶の間のメモ（2013年7月30日）

二〇一一年にばらまかれた無数の不安の一片として、長く保存しなければならないたいせつな記録である。

4　スズメバチの焼酎漬け

「そば打ち」はリタイア後の男性がハマる趣味のひとつで、長らく村の行政にたずさわってこられた長正増夫さんもそのおひとり。役場の仕事を退職後、そば打ちをはじめた長正さんは、うまいそばを打つためにはそば粉が大事と、そばも飯舘村で育てたくなった。冷涼な気候の飯舘村はそば栽培に適していると考え、自宅周辺にそば畑を開く。そばが実をつけるためには受粉を助けるミツバチが必要と考え、ニホンミツバチを飼いはじめる。予期しなかったが、ニホンミツバチをおそいにスズメバチがやってくる。スズメバチを駆除するために農薬や殺虫剤を使ってはもとも子もない。長正さんは虫取り網を使って自分でスズメバチを捕獲することにした。捕獲したスズメバチをどう処理するか。長正さんは敵のスズメバチとはいえ粗末にはあつかえなかった。駆除したスズメバチの有効な処理方法として、飲めば元気になるという「スズメバチの焼酎漬け」を考えついた。

「これを飲めば放射能にも負けない」と冗談をおっしゃっていたが、長正さんなりの飯舘村の自然への思い、畏敬の念からスズメバチを焼酎漬けにした。この一本の瓶漬けは、飯舘村の生態系、それを生かした暮らしのありかたまでを語ることができる。

スズメバチの焼酎漬け
焼酎は梅酒など果実酒に使われるほか、マムシ酒など動物を漬けるのにももちいられる。スズメバチの焼酎漬けは生けどりにしたスズメバチを広口瓶に入れ、瓶を焼酎で満たす。疲労回復、解毒などの効能があるとされる。しだいに熟成し焼酎が茶色を帯びてくれば飲みごろ。

5　仮設住宅で

福島市飯野町の仮設住宅での活動も忘れられない。ここにも「までい」な生きかたがあった。仮設住宅自治会の紹介で話をうかがったHさんは「いいたてミュージアム」が取材したなかで最高齢のかたであったろう。仮設住宅の集会所に自治会のかたといっしょにこられたHさんは、すでに「いいたてミュージアム」の活動を知っておられ、いくつかのモノをおもちになった。

「漢字のメモ」「ガラスのハエとり」そして「女学生のころの写真」「裂織の帯」。「漢字のメモ」は、Hさんがテレビを見ながら、新聞を読みながら、気になる漢字やことばを書きとったもの。紙はカレンダーや仮設住宅のお知らせ、そしてチラシの裏が使われていた。狭い仮設住宅の暮らしでボケないようにと笑っておっしゃっていたが、Hさんは仮設住宅で何もせず無為にすごすことができなかったのだろう。テレビを見ている暇にも手を動かして、頭を使う。「までい」な暮らしが日常だった人の避難先でもその日常をなんとか保とうとする努力がメモの一枚一枚ににじんでいる。「いいたてミュージアム」が収集したかったモノは、努力の痕跡でもある。

「ガラスのハエとり」は、きれいに磨きあげられていた。近年では博物館で「これはなんでしょう?」とクイズの対象になるほど身近で目にすることのなくなった物品だが、Hさんが飯舘村に嫁いだころは必需品だったそうだ。原発事故で一時はとだえたブランド牛に飯舘牛がある。冷涼な飯舘村では牧畜業に力を入れる農家が多かった。嫁いだ当時、牛や馬は同じ屋根の下で飼われていていつもハエに悩まされていた。嫁いできたHさんにはそ

Hさん　二〇一九年八月の時点で飯舘村の避難者のかたが入居していた福島県内の仮設住宅はなくなった。この段階でHさんの所在を知るすべも失ってしまった。現在、Hさんに実名での掲載可否を確認できていない。そのため実名をふせてのHさんと表記することをお許しいただきたい。

れがおどろきだった。「ハエとり」という造形は美しいが衛生的とはいえず、当時は、めずらしくもなかったモノをおもちくださった気持ちはどのようなものであったろう。わたしはHさんの矜持として、過酷な環境でもよりよい人生を送ろうとつとめ、困難を克服してきた誇りをピカピカに磨きあげられた美しい「ハエとり」の輝きに感じとりたいと思う。

6　たいせつなもの

「漢字のメモ」と「ガラスのハエとり」は「いいたてミュージアム」の収集資料として受領した。そのほかにも資料は二点「裂織の帯」「女学生のころの写真」があった。「裂織の帯」は、もの不足の時代、着古した衣料をほどいて織りなおした手づくりの細い帯だった。使いこんだ帯は細く柔らかく、晴れ着に合わせる豪華な帯とはまったくことなる実用的な帯だ。いまなら帯も気軽にとまではいかなくても手に入る。この手づくり帯もいつのころからか使われることはなくなっていたのだろう。

「女学生のころの写真」にはHさんと親友がうつっていた。裏面にはふたりの名前、そして「二十才」とインクで書かれていた。アルバムに貼ってあったものをはがしたのだろうか、ところどころ写真の裏面は紙がはがれて、友人の名前は読めない。このころが嫁入りまえのとても楽しいころだったと語ってくれた。ふくよかな表情には若さがにじみ、青春の輝きがある。

嫁入り後の「ガラスのハエとり」と「裂織の帯」は、けっしてゆたかではなかった時代とそれをのりこえてきた証としてのモノ。一枚の写真はそれ以前の輝きに満ちた思い出をうつしとったモノ。Hさんは自分の人生を四点のモノでみごとに集約して見せてくれたのだった。

つきそいの自治会のかたがHさんにいった。「これはたいせつなものだからしまっておきましょうね」。集会所のテーブルには「漢字のメモ」と「ガラスのハエとり」がのこった。それでよかったのだろうか。自治会のかたは「たいせつなものだから」といってHさんに写真と帯を返した。しかしHさんは「たいせつなもの」だからもってきたのではないか。そのとき、自治会のかたのことばにたいして、それも譲ってくださいと強く主張するべきだったのではないか。いまでも自問自答は消えない。

考えすぎかもしれない、失礼かもしれないが、すでにご高齢だったHさんは「漢字のメモ」「ガラスのハエとり」と「裂織の帯」「女学生のころの写真」、そのすべてを合わせてご自分の遺品と考えておられたのかもしれない。そのうえで「いいたてミュージアム」に託そうと思ってくださったのかもしれない。「いいたてミュージアム」で収集するものに「高価なもの」「めずらしいもの」は対象としない。では、「たいせつなもの」はどうか。ミュージアムは「たいせつなもの」を引き受けられるのか。「いいたてミュージアム」の小さな試みにもミュージアムとは何かという大きな問いかけがふくまれている。

7　遺品

東日本大震災から八年（二〇一九年時点）、今後一〇年、二〇年が経過すると、震災と原発事故を語る資料にはしだいに「遺品」が増えてくるはずだ。モノの価値、意味は一枚一枚衣を重ね着するように厚くなる。「ガラスのハエとり」はハエを駆除するためにもちいられたガラス製の道具から、Hさんが体験した暮らしを伝えるモノとなり、いずれHさんというひとりの人物がいた証となる。モノだけでは伝えられないエピソードをのせる舟としてのミュージアムとミュージアムにかかわる者は、モノの多面的な性格につねに注意を払わねばならない。

「いいたてミュージアム」でも遺品となるモノがでてきた。「袖無し半纏」は、収集当時福島市内松川の大規模仮設住宅に暮らしていた佐野ハツノさんが着なくなった着物を自分で仕立てなおした半纏である。仮設住宅の暮らしが長引くなかで、日々暮らしのはげみになる手仕事を生みだしたいと考えた佐野さんは交流グループの結成を呼びかけ、「までい着」の制作をはじめた。雇用創出の面ももちろんあったがグループ内外での交流が大きな目的であった。仮設住宅のイベントなどで大変お世話になった佐野さんは、村への帰還をはたすまえに仮設住宅で亡くなった。「袖無し半纏」は避難中の飯舘村の人びとが生みだした生きがいを語り継ぐモノであり、生きがいを生みだすべく奮闘した佐野さんの遺品としてのモノ、ふたつの顔をもつモノとなった。

飯舘村民とむきあい、話を聞くことからはじまった「いいたてミュージアム」のモノたちは、やがてすべてが遺品となっていく。発掘や調査によって収集される通常の資料とは大きくことなる点である。これと似た側面をもつモノは広島平和記念資料館の資料だろう。原爆の熱線、爆風、放射線による被害の検証を目的に焼け跡から収集された初期の資料がコレクションの基礎になっており、現在、展示されている資料の多くは遺族から寄贈された被爆者の遺品である。遺品は、被害の様相だけではなく、生涯消えぬ傷を負って生きた一人一人の人生の軌跡を物語る。その人たちの人生を想像することは原爆の悲惨さをわがこととしてとらえ、二度と惨禍をくり返すまいとの強い誓いをうながすはずである。「いいたてミュージアム」が願うところも、モノをとおして飯舘村でおこったことを人びとが想像してくれることである。「いいたてミュージアム」のモノたちはどれも何気ない表情をしている。ちらりと表面を見るだけであれば、「チラシのゴミ箱」「ガラスのハエとり」であり、エピソードとゆたかな想像力、共感力なしには核心にせまれない。核心とは、飯舘村での出来事が自分におこらないとはけっしていえないと気づくことである。

8　県外避難

「いいたてミュージアム」最新の収蔵資料「つる細工のかご」は、初の福島県外から収集されたモノである。いくつかの避難先を経て、現在は京都府で暮らす村上日苗さんは飯舘村でレストランを開業していた。とにかく飯舘村での暮らしは楽しく、飯舘村が大好きだったという。かごは村で暮らしていた時に、新規転入者である村上さんが村の人たちに編みかたを教えてもらい、村の素材で編んだ。村上さんは飯舘村のゆたかな自然にあこがれ、自然にだかれるような暮らしに自分たち家族をゆだねていたのだろう。

先祖代々村に暮らしてきた村民とはことなる村上さんの自然環境への愛着を、東京電力福島第一原子力発電所事故はふかく傷つけた。自然環境のすばらしさが、村に暮らすことのなによりの理由だったとすれば、その自然環境を奪われることは、飯舘村と人生を奪われることと同じであったろう。原発事故から八年が経過し、現在は一部をのぞいて飯舘村に帰村できる状況にある。それでも村上さんが愛した飯舘村は二度ともとにはもどらない。村を再生しようと奮闘する人たちがいるいっぽうで、どうしてももどれない人たちもいる。その人たちにとって、ほんとうの飯舘村はいまも心のなかにある。それを伝えるために、このたいせつなかごは「いいたてミュージアム」に託されたのだと考えている。

9　巡回展

「いいたてミュージアム」は、福島県内をはじめ東京、京都、神戸、広島、静岡、浜松、松本、高知と各地で巡回展をおこなった（写真15・16）。展示のみならず各会場ではトークイベントがおこなわれている。飯舘村、福島県に関心をもつ人たちがつどい自分のこととして参加しているトークに立ちあう機会があった。モノが活発な対話を導き、モノにかこまれて人びとが語らされているのか、語りあっている人びとをモノがとりまき見つめているのか。心地よい緊張感が会場にただよっていた。

写真15　「いいたてミュージアム」広島
（2017年2月13日）

写真16　「いいたてミュージアム」高知
（2017年9月22日）

展示を見たかたがのこした忘れられないことばがある。あるかたは「静かな展示」といっていた。「いいたてミュージアム」では、キャプションは資料の寄贈者、もとの持ち主のことばを中心にしており、饒舌な解説はひかえられている。展示を見るかたがたにわずかなエピソードと何気ないモノから想像力を駆使していただきたいからだ。

ミュージアム、なかでも博物館をはじめとする施設は、どうしても多くを語りがちだ。眼前に展示されているモノはなんなのか、来館者もとにかく説明をもとめる。だが制作年、出土地、作者、材質、それらの情報は、あくまでも展示のメッセージ、意図を伝えるための一情報であって理解のゴールではない。「いいたてミュージアム」が伝えたいことは飯舘村を想像すること、一人一人が自分のこととすることだ。京都府におちついた村上さんは京都での展示を見て「飯舘村にいるみたい」といった。企画運営者にとって、これほどのうれしいことばはない。

10　モバイルミュージアム

「いいたてミュージアム」はハコをもたない。ひとつの運動体、活動であり、スペースさえあれば、どこでもミュージアムをオープンできる。お話をうかがうためにたずねる時も自家用車でむかうため、いただくモノも膝にのせられるサイズになる。展覧会といっても小さな小さな規模で、単身の引っ越しをイメージしていただければいい。展示台も既製の折りたたみテーブルを使っている。展示ケースだけはモノのサイズに合わせたアクリル製の特注品だ。小さな規模でも「飯舘村にいるみたい」と思っていただける効果は発揮できる。大規模な展示ではなくても受け入れていただける場所で軽やかに開催できる。どこでも開催できるが、どこで開催するかは大きな問題だ。観覧者数も、多くのかたがたにご覧いただければありがたい。トークイベントは参加者が数人という時もあって、会場や講師のかたに申し訳ないのではと感じたこともある。だが理解、共感をもってくださるかたがたのもとで開催できる自由さが「いいたてミュージアム」の力なのだろう。開催地は、過去に災害を経験した地域があり、巨大地震の発生が懸念される地域もあり、また福島と同じく原発を間近にかかえている地域もあった。

11 ケース

ハコも文化財もない「いいたてミュージアム」にミュージアムを名乗らせている要素はなんだろうか。小さな活動といえども、飯舘村の存在を伝える役割をはたしている自負と展示手法としてのケースの存在であろう。レプリカや強度の高い資料、インスタレーション中心の現代美術をのぞいて、博物館・資料館では保全のために展示資料をケース内に展示する。透明なガラス、アクリルの板一枚が資料の価値、位置づけを示している。たとえば同種の農具があって用途が同じであれば、ケース外の展示物は万が一破損してもほかに代替可能な体験用に供せる資料で、ケース内の展示物は代替できない貴重な資料であると見る側も了解しているはずだ。その了解が「いいたてミュージアム」をなりたたせている鍵である。

「ガラスのハエとり」も「チラシのゴミ箱」も「いいたてミュージアム」のいくつかのモ

ノは大量生産品であり、だれでもつくれる廉価なモノだが、アクリルケースでおおわれている。なぜ、これらのモノはケースに入れられているのだろう。壊れやすいから、めずらしいから、高価だから。でも、特別なモノには見えない。展示を見たひとたちが違和感、疑問をもち、考え、飯舘村の姿を想像する。そのためにケースはたいせつな役割をはたしている。

12　博物館へ

「いいたてミュージアム」を展開していた「いいたてまでいの会」は二〇一八年活動を休止した。助成金や支援が絶えたことが大きな理由である。大変残念だが、収集されたモノ、資料は福島県立博物館に寄贈された。

「いいたてミュージアム」のコレクションは現在の価値観、ガイドラインではかるかぎり文化財としての価値はない。それでも寄贈を受け入れたわけは、「いいたてミュージアム」の活動を、震災後の歴史として保存し継承すべきと判断したためだ。福島県立博物館は、二〇一一年の東日本大震災と東京電力福島第一原子力発電所事故にかかわる資料を「震災遺産」と位置づけ、保全する活動を続けている。「いいたてミュージアム」活動の軌跡を福島県立博物館が受け入れることは「震災遺産」の概念を広げることにつながる。また県立博物館が受け入れることで、飯舘村を自分のことにという「いいたてミュージアム」のコンセプトが普遍化され、各地のコミュニティで応用されることが望まれる。原発事故による飯舘村の急激な人口減少とはことなるが、福島県立博物館の立地する会津地方の人口減少はさけられぬ課題となっている。コミュニティの維持、活性化は重要だが、閉じてしまうコミュニティの最後の看取りが今後必要となる。記憶の保存、継承は文化施設に課せられた重要な使命であり、「いいたてミュージアム」は使命にむきあう際の有力な参照事例となるだろう。

V　ミュージアムネットワークへ

1　「はま・なか・あいづ文化連携プロジェクト」成果展

「はま・なか・あいづ文化連携プロジェクト」によって、先述した岡部昌生氏、片桐功敦氏、安田佐智種氏らと福島県内の津波被災地、原発事故による避難地域を中心にプロジェクトを実施したが、学校でのワークショップなどそのほかのプロジェクトもふくめてしだいにアーティストと参加者の作品や記録映像が蓄積した。そのいっぽうで東日本大震災、東京電力福島第一原子力発電所の事故、そして福島は風化にさらされていく。

二〇一五年八月、長野県大町市での県外初の「はま・なか・あいづ文化連携プロジェクト」成果展は、

写真 17　成果展・京都造形芸術大学
(2016年1月22日)

参加作家である大町市在住の写真家・本郷毅史氏がむすんでくださった縁で実現した。この成果展は、「はま・なか・あいづ文化連携プロジェクト」に参加してくださった作家、福島への共感から協力してくださったギャラリーなどの導きで回を重ねておこなった。主催者として事業のメッセージとなる開催地の選択には重要な意味があった。

福島県外の開催地は以下のとおりである。

二〇一五年　八月＝長野県大町市

二〇一六年　一月＝京都市（写真17）・静岡県静岡市、二月＝静岡県浜松市、五月＝新潟県長岡市、九月＝栃木県足利市、一〇月＝新潟県新発田市、一一月＝長野県松本市

二〇一七年　二月＝熊本県津奈木町（写真18）、一一月＝大分県別府市、一二月＝京都市

そのほか、県内では各プロジェクトの成果展をいわき市、福島市、郡山市で開催した（写真19）。

大町市では黒部ダム開発で巨額な金の洪水が地域を通りすぎたということばを聞いた。開発にかかわる巨額な金が一時は地域をうるおしたが、開発の終了とと

写真18　成果展・つなぎ美術館
（2017年2月12日）

写真19　成果展・福島県立博物館
（2018年3月4日）

もにそれはなくなり、あとには空店舗、さびれた商店街がのこされたという意味だ。原発もふくめ巨大開発が地域に落とす影に目をむける必要に気づかされるたいせつな機会となった。京都では、参加作家の片桐氏の尽力で大規模な展示ができた。静岡市、浜松市は津波の被害がリアルに想定されており、かつ中部電力浜岡原子力発電所が立地しているため、福島の課題を語る参加者のかたがたは一様に真剣であった。新潟県の長岡市は中越の震災を経験しており、東京電力柏崎刈羽原子力発電所から二十数キロしか離れていない。福島から多くの避難者を受け入れてくださった地であり、交流を継続したいと考えている。「岡部昌生フロッタージュプロジェクト」をとおして知遇を得た長岡造形大学小林花子准教授、彫刻家・菅野泰史氏のご協力に感謝したい。栃木県足利市は渡良瀬川中流域の関東平野北縁の都市で、親交のあった足利市立美術館学芸員・篠原誠司氏の協力により同市での開催が実現した。渡良瀬川の上流には公害の原点足尾銅山がある。新潟県新発田市では「写真のまちシバタ・プロジェクト」実行委員会のみなさんのご協力なしには開催できなかっただろう。松本市でもawai art center、信州大学分藤大翼先生ほかの懇切な案内のおかげで会場を確保できた。津奈木町は水俣市の北部に隣接し、水俣市同様に水俣病の被害をふかく受けた地域である。足尾とともに学ぶことがあまりにも多い。津奈木町立のつなぎ美術館で開催した展示とトークイベントはとくに有意義なものとなった。別府市では、別府を制作活動の拠点としている画家・大平由香理氏の協力を得てアートプロジェクトBEPPU ART MANTHの一企画として参加した。二回目の京都展で活動のよりどころとなったギャラリーARTISLONGはいちはやく震災後から支援を寄せてくださっていた。

震災以前には交流のなかった県外のアートNPO、美術館、ギャラリー、大学、アーテ

BEPPU ART MANTH
温泉観光地として知られる大分県別府市で展覧会、コンサートなどさまざまな文化活動をおこなう市民文化祭。混浴温泉世界実行委員会の主催で同委員会が企画の内容、広報などをサポートし市民の主体的な参画と団体の育成を促進、別府市の文化芸術の振興をめざしている。「はま・なか・あいづ文化連携プロジェクト」もサポートを受け参加した。

ギャラリーARTISLONG
京都市中京区の三条会商店街に静かにとけこむ瀟洒なギャラリー。オーナーの黒木郁子氏は東日本大震災後いちはやく福島のアーティスト支援をおこなった。いわき市のアーティスト吉田重信氏はこのサポートにより各地でプロジェクトを開催。その縁は現在も続き福島と関西をアートでむすぶ拠点のひとつとなっている。

ィストと共通の課題について語りあった経験は、博物館の視野をおおいに広げた。長岡造形大学では展示の段階から学生との緊密な共同作業をおこない、若い世代へのアートプロジェクトによる震災記憶継承の一事例をつくることができた。静岡、浜松の参加作家、NPOとは現在も交流が続いている。福島が足利、水俣に学ぶ機会はこれからも積極的に設けていくべきだろう。いっぽうで入場者数は多くなく、すでに震災は過去のものとしてとらえられている現実を痛感した。別府展では、熊本地震への提言が十分にできなかった。反省点はすくなくないが、「はま・なか・あいづ文化連携プロジェクト」の成果展は、福島をめぐる文化芸術のネットワークを確実に構築したと自負している。

2　ライフ　ミュージアム　ネットワークへ

二〇一二年度から続いた「はま・なか・あいづ文化連携プロジェクト」は成果と反省をのこして六年間の幕を閉じた。「六年間は小学校を卒業する時間」とたとえて祝福をくださったのは港千尋氏であった。最後の実行委員会にオブザーバーとして参加していただき、その席でも貴重な示唆をいただいた。六年間、われわれは福島をめぐって何にむきあってきたのか。それはつきつめると命と暮らしであった。小学校卒業後、つぎにすすむ中学校三年間の課題は「いのち」と「暮らし」に決まった。

二〇一八年度から「はま・なか・あいづ文化連携プロジェクト」のこれまでの蓄積を活用し、「いのち」と「暮らし」にむきあうミュージアム、団体、個人が連携する「ライフミュージアム　ネットワーク」の構想を立ちあげた。ミュージアムを施設ではなく思想、理念ととらえ、福島を「いのち」と「暮らし」を考えるフィールドにしたい。大風呂敷を広げているが、目標にいたる過程に多くの発見があることだろう。ゼロからとつぜんにはじまった震災後の活動をふり返れば、できるはずだ。

現在、福島県立博物館がとり組む「ライフ　ミュージアム　ネットワーク」の「ライフ」と「ミュージアム」は岡本太郎が生涯とり組んだテーマではなかったか。「ライフ　ミュージアム　ネットワーク」のスタートとなったトークイベント「太陽の塔を巡って」によってそのことに気づかされた。「ライフ」はミュージアムやアーティストがあたりまえにとり組んできたテーマである。一〇年前に岡本太郎にすこしでもちかづきたいと開催した小さな試みが、現在につながっている。

川延安直（かわのべ・やすなお）

祖父母は神奈川県藤沢市の海岸砂丘に住んでいた。家の裏に砂地の畑が広がっていた。砂遊びをしながら昆虫や鳥の名前をおぼえた。お盆の送り火を意味もわからぬままに手伝った。一九六〇年代後半小学生低学年のころだった。学芸員としての原点だ。自覚的なフィールドワークは、最初の職場である岡山県立美術館学芸員としておこなった旧家での近世絵画調査だ。所蔵者の気持ちにむきあうことがフィールドワーカーの第一歩だと思っている。

＊　＊　＊

■わたしの研究に衝撃をあたえた一冊『岡本太郎の見た日本』

各地の博物館の予算削減が止まらないなか、現在おこなわれている博物館・美術館という区分、博物館の展示手法をより柔軟にできないかと考えていたころ、同書が出版され、岡本太郎が博物館、ミュージアムとふかくかかわり創造の源泉として活用していたことを教えてくれた。福島県立博物館が創造の現場になる夢がここからはじまった。その歩みはいまも続きその一部が本書にも紹介されている。わたしにとってのはじまりの一冊。

赤坂憲雄著
岩波書店
二〇〇七年

Ⅲ部

〈当事者〉と〈非当事者〉を超えて
耳を澄ます未来の物語 ——新井 卓

記憶の回収と修復から、表現の創出へ ——山内宏泰

核と物 ——藤井 光

博物館×アートプロジェクト
大災害・大事故に博物館がむきあう方法 ——小林めぐみ

〈当事者〉と〈非当事者〉を超えて　耳を澄ます未来の物語

――新井　卓

1　はじめに

二〇一一年、混沌の三月に他界した父方の祖父のことを、このごろよく考える。癌をわずらっていた祖父は病院から一時的に自宅に帰り、祖母と昼食をとっていた。祖母が味噌汁の豆腐をすくい、彼の口に運ぶと「豆腐も身体のためになるから」とにこやかにいってそれを飲みこみ、ふと眠りこんでしまったという。祖父はそのまま、目覚めることはなかった。

祖父の家は代々、埼玉で農業を営んでいた。わたしが小学校にあがるまえ、埼玉ではまだほそぼそと養蚕が続けられていた。蚕小屋と呼ばれる平屋に蚕棚をいっぱいに並べ、夜どおし交代で家人が世話に立ったものだった。二齢をむかえた幼虫たち（祖母は「おかいこさま」と呼んだ）は傷つきやすいヒトの新生児のような皮膚をもっており、油断すれば一匹の病が数日で伝染し死に絶えてしまう。自然には生きられない蚕たちを生かし、最後には殺してしまいながら絹糸を集め、日々の暮らしのよすがとする農家のわざ（技／業）に、子どもながらふかい畏れをいだいたことを、ぼんやりと覚えている。蚕のほかコメや野菜、製材や縄ない、季節ごとのさまざまな儀礼まで淡々とこなす祖父の仕事は「百姓」の名にふさわしい、生存のための知恵の集積であり、ブリコラージュ的農村文化の荒々しい塊であった、と思う。

テレビにくり返しうつしだされる津波の映像、避難所や孤立した集落、そして壊れた原子力発電所からとどく無数の死と苦しみのイメージ。祖父の死はその対極にあるかのような、安らかなものだった。突如として奪いとられた一万数千余人の命と、おだやかに燃えつきたひとりの命。わたしという個人につきつけられたふたつの死のありさまは、いまも消えない謎としてある。池澤夏樹が「社会は総論にまとめた上で今の問題と先の問題のみを論じようとする」。しかし「今も、これからも、我々の背後には死者がいる」[1]といったように、わたしたちが、東日本大震災がもたらした一万数千余人の死について十分に理解しないまま歩きだし、その喪がいまだ明けていないとすれば、震災からの「復興」とは何を意味するのか。そのときわたしたちが失い、あるいはそれまで失いつづけてきた、と気づかされたものとは、ほんとうはなんだったのだろうか。「人間性に関わるすべての学問は、ある共通の繋がりを持っている」[2]一般にそう訳されるキケロの有名な一節の「すべての学問」は「Omnesartes（オムニアルテス）」である。Artesとは Ars（アルス）、広義の「アート」すなわち人間のさまざまな技、学問を意味する。「人間性に関わるすべてのアートは、ある共通の繋がりを持っている」——そういい直してみる時、「アート」ということばが本来ふくむもの、日本という国に暮らすわたしたちが忘れかけた意味の広がりが、浮かびあがってくるかもしれない。

ブリコラージュ的農村文化
フランスの文化人類学者レヴィ＝ストロースによれば、ブリコラージュ(Bricolage)＝「寄せ集め」の手法は、種々の呪術、神話を矛盾をそのままに混合し、日々の生に役立てる「野生の思考」を体現する（『野生の思考』みすず書房）。

池澤夏樹
一九四五—。小説家、詩人、翻訳家。芥川龍之介賞、谷崎潤一郎賞、伊藤整文学賞ほか賞歴多数。沖縄米軍基地問題や二〇〇一年のアメリカ同時多発テロ、東日本大震災、元従軍慰安婦問題などおりおりの社会問題に鋭敏に反応し、積極的な発言と作品をとおして表現しつづける。

2　福島と往き来すること

二〇一一年三月一一日、東日本大震災発生と同時刻、わたしは川崎市の自宅近くの公園で日課のダゲレオタイプを撮影していた。その日被写体に選んだのは、前年からたびたびかよっていた東京都立第五福竜丸展示館から借り受けた〈死の灰〉のサンプルだった（写真1）。

写真1　2011年3月11日、等々力緑地、死の灰

福島第一原子力発電所の水素爆発がテレビで報じられるとすぐ、第五福竜丸展示館理事長・安田和也さんから電話が入った。

――窓をしめて外出はひかえること。空気中の塵に放射性物質が付着しているので、外に出る時はマスクをすること。昆布をペットボトルの水に漬けておき一週間は毎日それを飲むこと。安田さんのことばは確固としておりどれだけ心強かったかしれない。同時に、それらさまざまな対処法は、どこかで見聞きしたことのようにも思えた。八〇年代、工業都市・川崎市に育ったわたしたちの少年時代は、悪臭を放つ多摩川のヘドロや光化学スモッグととも

東日本大震災
二〇一一年三月一一日に発生した、東北地方太平洋沖地震、太平洋沿岸の津波、福島第一原子力発電所事故による複数の災害の総称。一万五〇〇〇人を超える死者、三七〇〇人以上の震災関連死（「〈安住の灯〉4万人超いまだ戻らず／福島県の避難者数推移」河北新報、二〇一九年三月二十六日付）をもたらした。

ダゲレオタイプ
わたしは、六×六センチ判ダゲレオタイプをなるべく毎日撮影する「毎日のダゲレオタイプ・プロジェクト」を二〇一一年元旦から続けている。ダゲレオタイプは一八三九年にフランスで公表された世界初の実用的写真技法で、鏡面のようにみがいた銀プレートの表面を薬品処理しカメラに挿入、撮影、さらに水銀蒸気で現像してプレート上に直接画像を得る技術である。

にあった。『北斗の拳』、『風の谷のナウシカ』など、終末後《ポスト・アポカリプス》の世界を描いた漫画やアニメがわたしたちの想像力をかきたて、おりしも発生したチェルノブイリ原発事故に、人類が核の終末をむかえるであろうことはもはやあきらかに思えた。わたしにとって、また多くの同世代にとって、福島原発事故以後の世界はどこか見知った風景として、古い記憶を呼び覚ましたのではないだろうか。

　奇妙な既視感と、物語と現実の境目が溶解した日常——それが福島第一原発事故後のわたしたちの現実だったとすれば、わたしがわたしたち以外のむきだしの現実に出会ったのは四月はじめ、静岡県の焼津旧港でのことである。

　震災後に自身の表現にいきづまり、以前から着手していた第五福竜丸というテーマに立ちもどるよりなかったわたしは、ダゲレオタイプの機材をたずさえ東北と真逆の方角へ、福竜丸の母校焼津へ、車を走らせた。宿をとり、あてもなくそぞろ歩く焼津はうららかに晴れわたって、水平線は夕暮れに染まっていた。防波堤の内側に三隻の漁船が停泊しており、その手前で、火を熾《おこ》した一斗缶をかこんで四、五人の男たちがたたずんでいるのが見えた。漁船にはそれぞれ「女川」「塩竈」「いわき」とあり、またきれぎれに聞こえる会話から、彼らは津波で破壊された東北沿岸の母港から焼津へ、避難しているのだとわかった。男たちの背格好や身なり、おだやかにかわす東北ことばに得体のしれない衝撃を受け、そのとき、いま東北へいかなくては、いつまでも何も見えず何も聞こえないだろう——そう直感した。生身の人間から発せられる声とことばは、メディアから供給される情報や、子ども時代に見聞きした物語でつくられたわたしの現実を打ち砕くのに十分であった。

　翌五月から翌年二月にかけて、いわき、飯舘村、南相馬から相馬と足しげくかようあい

複製はできないが、画像はきわめて鮮明かつ高解像度で、うつされた人物の魂が転写されたように感じられたため当時「記憶をもった鏡」とも呼ばれた。日本は当時鎖国中だったため島津斉彬像や、ペリーに同行したエリファレット・ブラウン・ジュニアによる銀板写真などわずかな例外をのぞいて、同技法が使用された歴史はない。

東京都立第五福竜丸展示館　一九五四年にアメリカ軍の水爆実験によりビキニ沖で被曝した第五福竜丸の船体と、その後の日本における原水爆禁止運動、世界の原水爆実験被害を展示する新木場（夢の島）にある展示館。二〇一〇年ごろから、わたしは同館で福竜丸の船体や、元乗組員・大石又七氏のポートレイトなどを撮影してきた。

写真2　2012年1月20日、野焼き、相馬市獺庭

だ、数多くの出会いがあった。二〇一二年一月、南相馬で、数人の農夫が水田の枯れ草を集めて燃やしているところを通りがかった（写真2）。その界隈はコメの作付けを自粛しているはずの場所だったので不思議に思い、なぜこの場所で仕事を続けるのかたずねた。ひとりが手を休め「家にいてもすることがないから、みんなでやっているんだよ。代々やってる仕事をやめたら死んだのと同じだ」と答えてくれた。そして、またべつの日に田村から飯舘にむかうとちゅうで聞いた農夫のことばをいまも忘れることができない。いつ暮らしがもとどおりになると思いますか、そう聞くと、彼は空をあおいで「どうにもならねえな、あのオバケがいなくならないうちは

〈死の灰〉
おもに核爆発や原子炉内の核分裂によって生じる放射性降下物（フォールアウト）をさす、一九五四年第五福竜丸事件後一般に広まった俗称。ストロンチウム90やセシウム137など、生体に吸収されやすい放射性降下物は、体内にとりこまれることで内部被曝をおこし長期間健康に影響をあたえる。

昆布
昆布を漬けた水を飲むのは、ヨウ素を多くふくむ昆布を摂取することで、放射性ヨウ素（ヨウ素131、半減期は約八日）を身体にとりこみにくくするためと思われる。アメリカ国立生物工学情報センターは、核攻撃に際して海藻類とくに昆布の摂取を推奨している。

『北斗の拳』
武論尊原作、原哲夫作画、ジャンプ・コミックス（全

……」といった。オバケとはもちろん目に見えないがそこにある放射性降下物のことであり、彼のことば以上に、彼／彼女たちがおかれていた状況を的確に、象徴的にとらえた表現を、わたしは知らない。

こうした飾り気のないことばがなぜ、強く印象にのこったのか。わたしの暮らす首都圏と福島を往復するうちに、その理由はしだいにあきらかになってきた。都市生活者のひとりであるわたしと、代々受け継いだ土地、家、村落に根ざして生活してきた農漁民たちとでは、出来事の認識を基礎づける時間と空間の感覚がまるでちがう、ということである。

都市生活者と農漁民のあいだに存在する時間と空間の感覚の齟齬は、福島のみならず、おそらく近代化以降わたしたちがつねにかかえてきた問題にほかならない。個々人の知識、想像力でははかりしれないほど複雑かつ巨大な原子力産業と、それを下支えする戦後日本の政治は、時間的・空間的スケール・エラーを積極的に利用して、わたしたちの生活に浸透していった。そしてわたしたち都市生活者自身も、そのスケール・エラーに甘んじて巨視的・長期的な構造的問題とみずからの生活圏をきりはなし、〈当事者〉の意識をもつことなく利益を享受してきたのではないか。

3　第五福竜丸事件と〈当事者性〉の公共圏

福島と首都圏を往復するうちに、地震や津波が頻発する日本列島になぜ原発が五四基（二〇一一年当時）もあるのか、あらためて疑問に思った。広島、長崎における原爆被害のスティグマをもつはずの日本が、なぜ世界第三位（二〇一一年当時）の原子炉保有数をほ

二七巻）集英社、一九八四―八九年

『風の谷のナウシカ』 宮崎駿作、アニメージュコミックスワイド判（全七巻）徳間書店、一九八七―九四年

終末後《ポスト・アポカリプス》 文明が失われるほどの危機を経たのちの世界、あるいはその危機を前提に想像される世界観。

コメの作付けを自粛しているはずの場所 二〇一二年産の米の作付け制限は、作付け制限（避難指示区域または二〇一一年産で五〇〇Bq／kg超過）が八五〇〇ヘクタール、作付け自粛（南相馬市または二〇一一年産で一〇〇〜五〇〇Bq／kgの一部）が三二〇〇ヘクタール。（JAグループ福島ウェブサイトより）

こるまでにいたったか。

　皮肉なことに、日本が原子力政策を推しすすめる過程で利用されたのが一九五四年の**第五福竜丸事件**と、その後まきおこった全国規模の**原水爆禁止運動**だった。この点については**多数の先行研究**があるため本稿では簡潔にふり返るにとどめるが、第五福竜丸事件による日本国民の反核感情に危機感をいだいた日米両政府が、読売新聞をはじめとする大手メディアをつうじて「原子力の平和利用」を訴えた。その結果、核兵器の対極としての「未来のエネルギー」＝原子力を大衆に印象づけ、原水爆禁止運動のうねりを核エネルギー開発推進に転化させたということである。一九五五年から**アメリカ合衆国情報局**（United States Information Agency）と読売新聞ほか地方新聞各社の共催により日本各地で開催された「**原子力平和利用博覧会**（Atoms for Peace Exhibition）」は、一九五六年五月末に広島平和記念資料館に巡回したほどであるから、一連のメディア操作がいかに効果的であったかうかがい知ることができる。大量破壊兵器から平和的エネルギー利用へ——第五福竜丸事件によって爆発をみた国民の反核感情はこうして、政治・産業・メディアの語りによってたくみに原子力エネルギー開発推進へと誘導されていったのである。

　戦後、日本国民にあらためて原爆被害の災禍を思いおこさせた第五福竜丸事件は、当時人口の三分の一を超える三〇〇〇万筆もの「原水爆実験禁止署名」を集める、大規模な原水爆禁止運動に発展した。その運動の巨大なうねりはどのように生みだされたのだろうか。当時まだ広島、長崎の原爆被害の記憶があたらしかったこと、また「**放射能マグロ**」が食卓をとおして各家庭にあたえた衝撃の大きさが要因のひとつと想像できる。しかし、個々人の危機感がより大きなうねりとなり、大衆運動に発展した経緯を理解するには、当時のメディ

スケール・エラー
対象の大きさに身体感覚が適合せず、対象物をうまくあつかえない現象で、おもに発達段階の児童が経験する。またはその現象の比喩。たとえばエネルギー産業や軍産複合体は個人の理解と想像力を超えたスケールで展開しており、個々人がその実態を把握し、生活圏にむすびつけて考えることはきわめてむずかしい。

五四基
二〇一九年一月一一日時点での稼働中あるいは稼働可能と分類される原子炉の数は三八基。一般社団法人日本原子力産業協会（JAIF）「Current Status of Nuclear Power Plants in Japan」参照。

世界第三位
二〇一九年四月時点ではアメリカ、フランス、中国に次いで第四位。

ア表現のありかたを検証することが必要である。

『第五福竜丸　ビキニで被曝』は一九五四年にNHKが製作したニュース映画で、ビキニ事件の概説から、乗組員二三名の治療のようす、そして無線長・久保山愛吉が死亡するまでを追った内容で構成されている。このなかから、印象的な表現をいくつかあげてみたい（傍点は筆者による）。

「問題の第五福竜丸九十九トンは十四日焼津港に帰りましたが、その後の調査で焼津の街は恐怖と不安の中におののいています」

「一方重傷の乗組員二名は三月十五日東大清水外科に入院――増田三次郎さん二十九歳の顔は真っ黒に焼けただれ死の灰の恐ろしさを見せつけています」

また久保山愛吉の死去を報じる箇所では、哀調を帯びた声で、アナウンサーがつぎのように語る。

「全国民の祈りも虚しくビキニ被災患者、第五福竜丸の無線長・久保山愛吉さんは九月二十三日ついに亡くなり、変わり果てた遺骨は妻すずさんの胸にしっかりと抱かれ、二十五日東京駅から故郷焼津の街に向かいました」

このような感情的、叙情的な表現を、現在のメディア表現に見ることはまれである。二〇一一年以降の福島第一原子力発電所事故にたいするマスメディアのありかたついて「大

第五福竜丸事件

一九五四年三月一日未明、ビキニ環礁から一六〇キロの地点で操業中の木造遠洋マグロ漁船・第五福竜丸は、アメリカ軍による水爆「ブラボー」実験により被曝。乗組員二三名の頭上に放射性降下物がふりそそいだ。国内で「放射能雨」「放射能マグロ」にたいする不安が高まり、同年九月二三日に無線長の久保山愛吉が亡くなると、反核感情の高まりに危機感をいだいた日米両国政府は早期解決を画策。アメリカが「ex gratia（好意による見舞金）」として二〇〇万ドルを支払うことで、政治決着をはかった。被曝した日本船舶は福竜丸のほかのべ一〇〇〇隻にのぼるとされる。第五福竜丸事件の詳細は『ビキニ事件の真実　いのちの岐路で』（みすず書房）などにくわしい。

手メディアは何も報じない」という言説がくり返されるのは、今日の日本の報道各社の体制追従体質、自主検閲といった諸問題に加え、かつてのメディア表現との温度差がその一因である、と考えるのはけっして誤りではないだろう。

それでは一九五〇年代当時のようなメディア表現の再現によって、現在のわたしたちは再び触発され全国レベルの「反（脱）原発運動」といった運動へと導かれうるのだろうか。この仮説には、大きな疑問が生じる。第五福竜丸事件とゆりもどしとしての「核の平和利用」運動——どちらもメディアが供給した「強い語り」に、大衆が敏感に反応することによって生じたという点において原動力は同根であるといってよく、過度に感情に訴えかけるメディア表現はプロパガンダにもなりうる。さらにソーシャル・ネットワーク・システム（以下SNS）をふくめた大小メディアが高度に多様化した現在、ひとつの「強い語り」は、すぐにもうひとつのあいいれない強い語りを生みだし、人びとの分断を生みだすだけであることが容易に想像できる。

一九五四年九月二三日夜のニュースで「久保山愛吉死去」が報じられると、久保山愛吉の自宅には全国から大量の手紙がとどけられた。後年妻のすずから第五福竜丸平和協会に寄贈された三〇〇〇通の手紙の調査・整理を続ける、都立第五福竜丸展示館学芸員の市田真理によると、それらは久保山とその家族にむけられた哀悼、あるいは同情を表明する手紙だけではなかったようである。

九月二三日夜のニュースで「久保山愛吉死去」が報じられた。二四日〜二六日消印の手紙は一〇〇通を超える。「ニュースを聞いて妹と二人思わず泣けてしまいました」「今日

原水爆禁止運動
核兵器とその実験、使用に反対する市民運動で、一九五〇年ストックホルム・アピールに端を発する。日本では一九五四年の第五福竜丸事件を契機に、東京杉並区の主婦によるアピール、広島、長崎の複数被爆者団体により署名運動がはじまり、一九五五年第一回原水爆禁止世界大会までに三〇〇〇万筆の署名を集める。この運動から原水爆禁止日本協議会は、その後米ソ対立を背景とする政治的衝突により一九六六年に分裂。社会党（総評）系メンバーがあらたに原水爆禁止日本国民会議（原水禁）を結成した。

多数の先行研究
『原発・正力・CIA機密文書で読む昭和裏面史』（新潮新書）などにくわしい。

はどうかしら今日はどうかしらとしんぱいしていましたが、午後七時の悲しい知らせが耳に入りました」と、思わずペンをとったという文面があふれている。(3)

また手紙のなかには、匿名で「さぞかし楽しく明るいお正月をお迎えすることでございましょう……六五〇万円くれるなら、こんど水爆実験があったら犠牲者になるっていう人が多いですよ……(4)」といった嫉み、脅迫めいたもの、さらには広島の被曝者や戦争未亡人によるいわれのない指弾までもふくまれていたという。

出来事の〈当事者〉であるはずの久保山愛吉と妻すず、三人の幼い娘の周辺で〈当事者〉たちを置き去りにしてくり広げられた狂騒とはいったいなんだったのか。読売新聞の取材（大阪版　一九五四年三月六日付）にたいして「ゼニなんかいらねえ。お父ちゃんを返してくんな。死の灰がお父ちゃんを殺した。わたしァ、ウワサの灰で、気が変になりそうだ」と訴えたというすずが、一九七三年に第五福竜丸平和協会に三〇〇〇通の手紙を寄贈したおり、どのような心情だったのか伝える資料はのこされていないという。(5)こうした一連の出来事と大量の手紙から浮かびあがるものは〈当事者〉たちの苦しみの記憶がメディア表現によってステレオタイプ化され、大衆に消費されてゆく過程でありまた〈当事者〉自身による語りの不在である。

社会学者の石田佐恵子は、メディア表現とは「すでに社会の中に存在するさまざまなステレオタイプを強化し、わかりやすい〈物語〉に転換することで、より多くの人びとの関心を惹きつけ」その結果、出来事の「別の解釈の可能性を封じ、その出来事の固定されたイメージや〈当事者〉像を強力につくりあげる(6)」と指摘する。

アメリカ合衆国情報局
一九五三年発足の連邦行政機関、対外広報機関でラジオ番組、映画などの宣伝活動（「ホワイト・プロパガンダ」）やフルブライト・プログラムに代表される留学生・研修生受け入れ事業などのソフト・パワーをもちいて、親米的な国際世論の形成や反共産主義工作をおこなった。一九九九年に国務省に統合。

原子力平和利用博覧会
広島での開催については田中利幸、ピーター・カズニックの詳細な分析（『原発とヒロシマ「原子力平和利用」の真相』岩波書店、二〇一一年、6ページ）を参照のこと。

放射能マグロ
核実験により放射能汚染されたマグロ。ガイガーカウンターで簡易的に計測され、毎分一〇〇カウントを超え

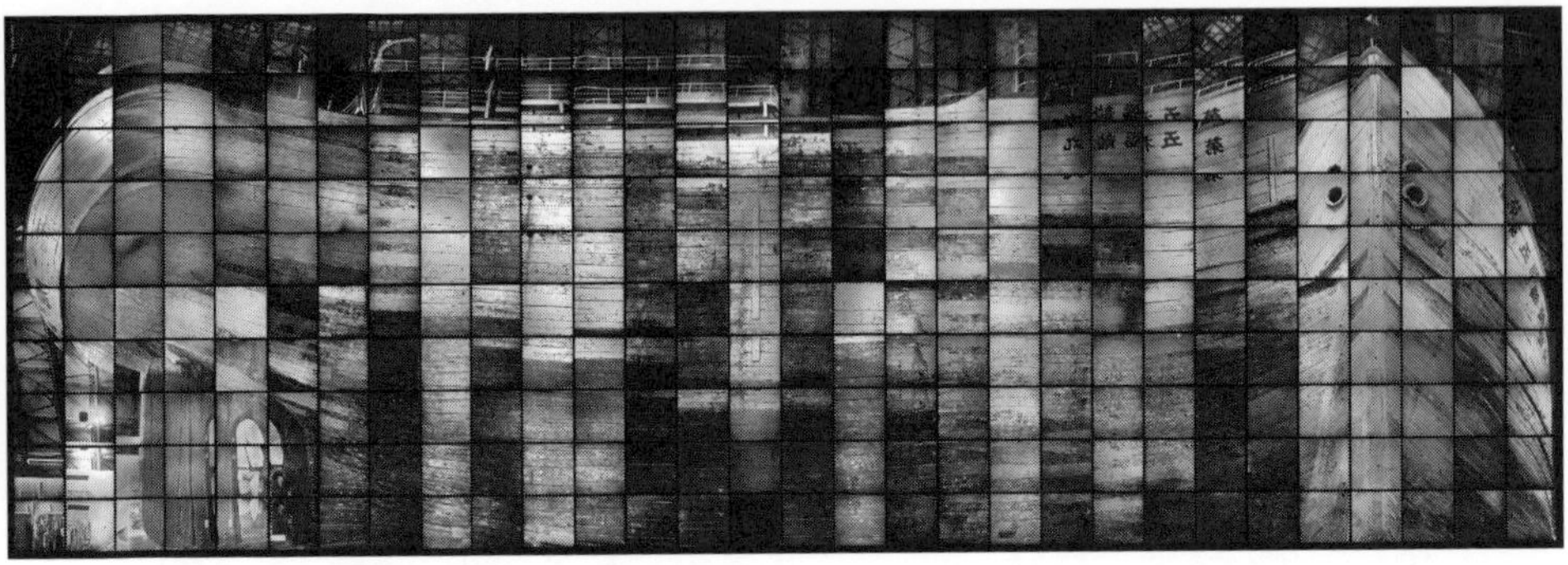

写真3　第五福竜丸のための多焦点モニュメント

第五福竜丸事件当時のメディア表現による「強い語り」は、久保山愛吉の死をステレオタイプな悲劇的〈物語〉へと回収することによって人びとの関心を惹きつけた。こうして生みだされた「わかりやすい〈物語〉」は原水爆禁止運動の原動力となったが、同時に〈当事者〉たちの苦しみの記憶を消費することでその声をかき消し〈当事者〉たちを公共圏から追放したのである。

　公共空間にテレビ、新聞、雑誌などの伝統的マス・メディアが飽和しつつあるいま、他者の記憶の搾取にたいする人びとの感受性は、第五福竜丸事件当時にくらべれば、相当に発達しているはずである。伝統的な映像の暴力性と倫理にかんする数々の論争に加えて、SNSが日常生活に高度に浸透しつつあるいま、ごく身近な人間が傷つけ、傷つけられる場面を目の当たりにする体験は、もはや日常の出来事となった。しかし、感受性の高まりが公共の場あるいは個々人のコミュニケーションの場において建設的な議論を生みだす土台となってきたかといえば、すくなくとも日本社会にその兆しは見えない。現在

る放射能を検知した場合廃棄とされ、大量に発生した廃棄魚の一部は築地市場の敷地内に埋められた。第五福竜丸元乗組員・大石又七はマグロを供養し事件を記念する「マグロ塚」の建立に尽力してきたが、実現されないまま築地市場は移転した。

無線長・久保山愛吉　一九一四—一九五四。第五福竜丸無線長。一九五四年三月一日、アメリカ水爆実験「ブラボー」により第五福竜丸船上で重度に被曝し半年後、九月二三日死去。被曝による再生不良性貧血で黄疸が悪化したのち、対症療法の輸血から感染したウイルス性肝炎が直接の死因とされている。焼津の久保山碑は原水爆禁止運動の象徴的モニュメントとなった。

まれ　もっとも週刊誌やテレビの

わたしたちの生活に色濃くただよう「空気」は、自己検閲、特定の話題のタブー化、相互監視、そして他者をいたわる「沈黙」を装う無関心であり、その傾向はとくにテレビをはじめとするメディア表現において顕著である。その結果〈非当事者〉の沈黙と無関心のなかに置き去りにされるのが再び〈当事者〉たちであることは、あまりにも明白である。

メディア表現や権威が生みだす「強い語り」、「わかりやすい〈物語〉」によって他者の苦しみの記憶を搾取せず、また沈黙と無関心に引きこもることなく、いかにしてわたしたちは彼女／彼らの記憶にむきあい、ときに手をさしのべ、さらにわたしたち自身の思考と行動を導くことができるのだろうか。

4 第五福竜丸から聞こえる声 記念物の表面と「出来事の余剰」

第五福竜丸事件から現在の福島を照射する手がかりをもとめて、二〇一二年再び第五福竜丸展示館にかようようになった。

第五福竜丸展示館は、夢の島に廃棄されていた第五福竜丸を陸あげしたのち、船体をとりかこむように建設された建屋で構成されている。建築家・杉重彦の設計による展示館のデザインは二枚貝から着想したとのことだが、この特異な形状のために見学者はつねに船体から数メートルの距離を保ってその周囲をめぐることになる。どうしても船の全体像をダゲレオタイプにおさめたかったわたしは、悩んだのち船の周囲を一八〇度移動しながら、船体を三〇〇枚に分割して撮影することにした（写真3）。ダゲレオタイプは作業に時間がかかり、一日に撮影できる枚数がかぎられているため撮影期間は二か月を要した。船体

ワイド・ショーなどの媒体ではきわめて恣意的かつ感情的な表現が好んで使用されるが、それもサブ・カルチャーとして「正統的」報道からかこいだされた前提で形成された表現様式であるから、一九五〇年代当時と事情はことなっている。

諸問題
国境なき記者団の調査によると、日本の「報道の自由度」は二〇一九年時点、一八〇か国中六七位で、主要七カ国（G7）中最下位である。（Reporters without Borders ウェブサイトより）

数々の論争
たとえば写真家ケヴィン・カーターによるピュリツァー賞企画写真部門賞受賞作「ハゲワシと少女」にかんするはげしい論争（佐藤吉雄「「ハゲワシと少女」論争 カメラマンはなぜ自殺したか」『新聞研究』No.518

の表面を細かく撮影しつづけるうちしだいに、第五福竜丸という歴史的記念物の本質はその表面にあるのではないか、と考えるようになった。

　第五福竜丸をはじめとする歴史的記念物は、集合的記憶を担保する物質的根拠として、社会のなかで保存、共有される（リーグル）[7]。しかし歴史的記念物がそのなりたちや社会が付与する価値において、政治的・倫理的文脈から自由であることはまれであるといってよい。たとえば〈原爆ドーム〉すなわち広島平和記念碑は、その名において「平和」という概念をふくんでおり、「反戦」あるいは「反核」というイデオロギーの象徴として広く理解されている。しかし〈原爆ドーム〉が出来事の物的記録だとすれば、それはとりもなおさず原子爆弾による破壊の様相であって、モノ自体のなりたちと「平和」「反戦」「反核」といった「わかりやすい〈物語〉」とは本来無関係なはずである。

　では「わかりやすい〈物語〉」なしに、わたしたちは、どのようにして歴史を学びうるのだろうか。キャシー・カルースは歴史にたいするあらたな視点を「実体験と指示対象から成る単純なモデルに基づく」のではなく直接的理解のとどかない領域、トラウマという概念に見いだす[8]。歴史の手がかりをトラウマに見いだそうとする時、わたしたち――〈非当事者〉としての主体――の実践は、他者の語りえない経験を〈当事者〉から引きだし「共有すること」＝「部分的に所有すること」ではない。その実践は彼女／彼らが語りえない体験を想像し、あるいはわたしたちみずからの体験とトラウマをとおして触知し、彼／彼女たちの記憶のかたわらに寄り添う、非侵襲的なプロセスへと集約される。このような試みを、ジャン＝リュック・ナンシーは他者の記憶の「分有」と呼ぶ。

　現代アラブ文学／第三世界フェミニズム思想研究者の岡真理によれば、わたしたちが他

一九九四・九　58―60ページ）など。

ジャン＝リュック・ナンシー

一九四〇―。フランス・ボルドー生まれの哲学者。ストラスブール・マルク・ブロック大学名誉教授。ジャック・デリダの影響下で、ドイツ・ロマン主義やナチズムの批判のほか、文学、宗教、芸術を横断しながら独自の哲学を追究する。「分有」については『無為の共同体　哲学を問い直す分有の思考』（以文社）参照。

者の記憶を「分有」するためには「出来事の余剰」が必要だという。「出来事の余剰」とは〈当事者〉本人のトラウマ――岡によれば、それはけっして〈当事者〉自身が統御可能な記憶ではなく、突如としてフラッシュバックするようなもの、したがって〈当事者〉自身が出来事に領有されてしまうような、暴力的な力をもつ――にかんする言語化不可能な領域のことだ。

たとえば福竜丸の表面にのこされた、三度にわたる**再塗装の痕跡**、経年による腐食、微細なささくれや匂いをとおして、あるいは**使い古された小さな布団**から、航海の困難さや船員たちの暮らしぶりを思い描き、出来事の時間的・空間的な距離、そして福竜丸という歴史的記念物が共同体のなかでどのようにあつかわれてきたか想像すること。その不確かな手触りによって、わたしたちは「わかりやすい物語」が語りえないわたしたち〈非当事者〉にとっての現実と、〈当事者〉たちの現実とのわずかな接点を見いだすだろう。

特定の文脈に立って記念物に接する時、細部やそのモノにまつわる時間の感覚、記念物の「読み」の不確かさの感覚は失われがちである。その不確かさの感覚、理解を超えてはいるがたしかに触知される他者のトラウマ、あるいは「出来事の余剰」にこそ個々人の諸感覚と歴史を接続するわずかな手がかりがのこされているとすれば、わたしたちは歴史的記念物を、その表面を、政治的・倫理的文脈なしに見、触り、聞くことからはじめなければならない。

再塗装の痕跡
『第五福竜保存工事報告書』（一九八九）には市民による新聞投書（「沈めてよいか第五福竜丸」朝日新聞一九六八年三月一〇日付）によって第五福竜丸が「再発見」されたのち、保存活動にともなって、すこしずつ船体塗装がほどこされていく過程が記録されている。一九七一年「船を美しくする集い」で一度、一九七二年六月の陸上固定ののち一度、さらに一九八五年から翌年にかけておこなわれた大補修工事で最後の塗装がおこなわれ、「第五福竜丸」の船名が再び揮毫された。

使い古された小さな布団
第五福竜丸展示館蔵「乗組員の布団」。長さ約一四〇センチ、幅約四五センチの布団で船員たちが使用した。

なにかが起きた。でも私たちはそのことを考える方法も、よく似たできごとも、体験も持たない。私たちの視力も聴力もそれについていけない、私たちの語彙ですら役に立たない。（中略）チェルノブイリは、私たちをひとつの時代から別の時代へと移してしまったのです。（中略）何度もこんな気がしました。私は未来のことを書き記している……[9]。

5　結びにかえて——あたらしいことばの到来のために

一九八六年四月二六日のチェルノブイリ原子力発電所事故から、三十余年がすぎた。事故発生から一〇年後、核災害に翻弄されつづける人びとへの丹念な聞きとりをおこない、彼／彼女らの語りを、アレクシエービッチ独自の語りに変容させて綴った『チェルノブイリの祈り　未来の物語』は、右の示唆的な序文ではじまる。アレクシエービッチによれば、取材した人びとからしばしば「私が見たことや体験したことを伝えることばがみつからない」「こんなことはどんな本でも読んだことがない、映画でもみたことがない」「こんなことは前にだれからも聞いたことがない」といった告白があったという。

ここでくり返し示される事実とは、未知の出来事にまきこまれた時、人間は語ることばをもちえないということである。「未知の出来事」とはたんに現実世界の出来事だけでなく「どんな本でも」「映画でも」見たことのない出来事をふくむ。

福島第一原子力発電所後、漫画家の雁屋哲が発表した『美味しんぼ』第六〇四話「福島の真実その22」は、福島をおとずれた主人公がとつぜん「鼻血」を流し、それが低線量被

雁屋哲
一九四一—。日本占領下の北京生まれの漫画原作者、エッセイスト。一九八三年から小学館『ビッグコミックスピリッツ』で現在まで連載が続く食をテーマにした漫画『美味しんぼ』（花咲アキラ作画）の売上げは累計一億冊以上。

低線量被曝
癌や遺伝的影響における十分な疫学集団が得られない線量の被曝（広島・長崎の疫学調査にもとづく場合、おおむね二〇〇ミリグレイ以下）。ほかリスク因子（化学物質や生活習慣など）との分離が困難なことから低線量被曝のリスク評価はむずかしいとされてきた。しかし近年の世界規模の疫学調査により、長期にわたる低線量被曝が白血病のリスクをわずかに上昇させることが判明している（Alison Abbott "Researchers pin down risks of low-

曝による影響を示唆する表現であったことから、週刊誌や一部メディア、インターネットではげしい批判にさらされた。このとき盛んに主張されたのが「科学的根拠の不足」であった。厳密な事実関係から自由であるはずの漫画にたいして、なぜ、メディアを中心にこれほどまでに過敏な反応がおこったのだろうか。「すでに社会の中に存在するさまざまなステレオタイプを強化し、わかりやすい〈物語〉に転換する」メディア表現は、社会に既存のステレオタイプが存在しなければ出来事を「わかりやすく」伝え人びとの関心をひきつけることはできない。そのとき「わかりやすい〈物語〉」にとってかわるものが「〈科学〉らしき言説」である。

二〇一一年から二〇一四年にかけてわたしが参加した「子どもたちを放射能から守る福島ネットワーク」有志によるお茶会――福島市内の母親たちが中心となって日々の不安を語りあい、情報を共有する集まりで、メンバーには飯舘村ほか高線量地域から避難中の母子がふくまれていた――では「鼻血」に類する語りは頻繁に聞かれるもので、それ以外にも子どもの体重減、貧血、虚弱のほか、母親たちから下肢のしびれや痛み、頭痛、脱毛などについて語られることもあった。母親たちはそれらの症状と低線量被曝とのあいだに「科学的根拠」がもとめられないことや、そのような語りにたいする世間の否定的な反応についてよく承知していた。そのためそれぞれの語りを心おきなく交換できる場として、お茶会が生まれたのである。

「わかりやすい物語」があたえられない時、個々人の語りは「科学」の名のもとに封殺されがちである。アレクシエービッチの『チェルノブイリの祈り　未来の物語』や「お茶会」で語られるのはそれぞれに孤立した個々人の小さな物語であり「強い語り」と「〈科

dose radiation" Nature (523), pp.17-18, 2015)。

科学的根拠の不足
低線量被曝における健康被害は、放射線以外の健康因子の影響を排除できないため、疫学的統計データの収集が困難である。「科学的根拠の不足」とは、本来は低線量被曝と健康被害の因果関係を否定するものではなく、たんに関係の有無を検証する方法がない、ということを示すにとどまるが、メディア表現や日常会話において、しばしば推測される事象そのものを否定する文脈で使用される。たとえば「「上限二〇ミリシーベルト」に上がる懸念の声　科学的根拠を聞き入れず不安ばかりに駆られる福島の現状」産経新聞「被曝リスクを検証する（下）」二〇一六年二月二二日付など。

学〉らしき言説」の狭間にとりのこされた、現代のフォークロア（民話）にほかならない。

フォークロアは世界や他者存在の多様なありようにたいするわたしたちの理解を、虚実を超えた感覚的、感情的リアリティによって支えてきた。「鼻血」や空をおおう「オバケ」の物語が、未知の現実にたいしてわたしたちが生みだしつつあるあたらしいことばの萌芽なのだとすれば、わたしたちは〈当事者〉〈非当事者〉の断絶を超えてそれらフォークロアを「分有」し、時にそれを変容、昇華させながらつぎの世代へ運ぶ方法として「アート」をとらえなおすことはできないだろうか。

ヴィトゲンシュタインは『論理哲学論考』の最後を「七　語りえぬものについては、沈黙しなければならない」という命題でとじている。これまで自明の事実以上の意味をもたないと考えられてきたこの命題は、近年の研究で、「語りえぬもの」こそ重要であるが、そのもっとも重要な事柄をまえに人びとは沈黙を強いられる、という言語ゲーム論の限界を示唆するのではないか、と指摘されるようになった。語りえぬもののためのあたらしいことばが、他者の記憶の「分有」にいたる試行錯誤から生まれるのだとすれば、いま、キケロのことばどおりすべての「アート」をつなぎあわせ、世代をまたぐ忍耐強い協働がもとめられている。

あたらしいことばの到来のために——わたしたちの試みははじまったばかりである。

※本稿執筆にあたり、資料とご助言をいただいた市田真理さん（都立第五福竜丸展示館学芸員）に感謝いたします。

〈科学〉らしき言説
これは近代以降の日本においてとくに目新しい事例ではない。一九〇九年以降、御船千鶴子らの「千里眼」の真偽をめぐってジャーナリスト、科学者をまきこんで発展した騒動「千里眼事件」、また二〇一四年のSTAP細胞事件はメディア表現における「わかりやすい〈物語〉」が否定された結果、世論が「〈科学〉らしき言説」へ収束したよい例である。これらの事例については中尾麻伊香『科学者と魔法使いの弟子　科学と非科学の境界』（青土社）の考察が慧眼である。

ヴィトゲンシュタイン
一八八九年—一九五一。哲学者。オーストリア＝ハンガリー帝国の大富豪の家に生まれる。世紀転換期ウィーンで文化・思想・芸術、数学、エンジニアリングに関心をもち成長。第一次世界大戦に志願兵として参戦。

〈引用・参考文献〉
（1）池澤夏樹『春を恨んだりはしない　震災を巡って考えたこと』中央公論社　二〇一一年
（2）原文は「Omnes artes, quae ad humanitatem pertinent, habent quoddam commune vinculum.」WEST, Grace Starry『Cicero Pro Archia (Latin Commentaries Series)』Bryn Mawr Commentaries, 1988.
（3）市田真理「三〇〇〇通の手紙から見えてくるもの　第五福竜丸無線長・久保山愛吉と家族に送られた手紙を読む」原爆文学研究会『原爆文学研究』（16）花書院　二〇一七年　57ページ
（4）同右57ページ
（5）同右60ページ
（6）石田佐恵子「メディア表現は〈当事者〉の敵なのか」宮内洋・好井裕明編『〈当事者〉をめぐる社会学』北大路書房　二〇一〇年　145ページ
（7）リーグル、アロイス『現代の記念物崇拝　その特質と起源』尾関幸訳　中央公論美術出版　二〇〇七年
（8）カルース、キャシー『トラウマ・歴史・物語　持ち主なき出来事』下河辺美知子訳　みすず書房　二〇〇五年
（9）アレクシエービッチ、スベトラーナ『チェルノブイリの祈り　未来の物語』松本妙子訳　岩波現代文庫　二〇一一年　31ページ

前期の主著『論理哲学論考』（一九二二）で哲学の問題を最終的に解決したと考え、約一〇年間の沈黙ののち再び哲学に回帰。ケンブリッジ大学で教鞭をとりながら思索を続けた。後期の主著『哲学探究』（一九五三）が遺稿となった。

『論理哲学論考』
一九二一年に発表された、ヴィトゲンシュタインの生前唯一刊行された哲学書。番号がわりふられた短い命題の集積で構成される。極限まで圧縮された表現から、後年さまざまな解釈が引きだされ議論を呼んできた。『論理哲学論考』（野矢茂樹訳　岩波書店）。

指摘
スティーヴン・トゥールミン、アラン・S・ジャニク著『ウィトゲンシュタインのウィーン』（平凡社）

新井　卓（あらい・たかし）

最近、古いネガを見返した。一八のころ、母方の祖父の形見のカメラで撮った写真には、初春の庭先や母の姿がうつっている。それがはじめてのフィールドだったとすれば、そこから食卓の上の混沌や、海のむこうの核実験場まで、すべては自身の感情と土着性の平面上で滑らかにつながっていなくてはならない。迷い、逃げだしたい気持ち、他者やモノと出会う歓びの立ちあがるところ、その場所にだけ、わたしのフィールドがあるのかもしれない、そう考えている。

＊　＊　＊

■わたしの研究に衝撃をあたえた一冊『めぐりながれるものの人類学』

人類学者とは「何かがそこで出会い、通過していく場所のようなものかもしれない」と石井はいう。フィールドワークのかたわら綴る日記から立ちあがることばはしなやかに、見えない存在と答えのない問いの茂みを縫って、せせらぎのように流れる。フィールドにむかう人がひとつの「場所」としてあるために、透明な存在になるのではなく「聴く者」として許され受けとめられている必要があること。わたしにとって、いつも立ち返るべき原点のような一冊。

石井美保著
青土社
二〇一九年

記憶の回収と修復から、表現の創出へ

――山内宏泰

はじめに

二〇一一年三月一一日に破壊されてしまった多くのまちが、もともとさまざまな課題や問題を抱え、疲弊していたことは否定できない事実であろう。しかしあの日、それらのまちはその時点での完成体であり、あの日までに蓄積されてきた歴史、文化の最終形態であった。その蓄積の尊さを軽視するべきではない。

いわゆる被災者として宮城県気仙沼市に在住するわたしは、地元出身者ではない。一九九四年一〇月に開館したリアス・アーク美術館（写真1）に学芸員として中途採用されるまで、わたしは仙台市の大学に籍をおく大学院生だった。生まれ育ちは宮城県石巻市であり、気仙沼地域とはもともと縁もゆかりもなかった。

バブル末期に設置が計画され、その崩壊とともに開館の時をむかえたリアス・アーク美術館は、地域住民から存在を疎まれる施設だった。そのような施設で、学芸員という正体不明のよそ者であるわたしが二〇一一年三月までの一七年間に積み重ねた時間は、いってみれば長期にわたるフィールドワークのようなものだった。そしてその成果は震災という

二〇一一年三月一一日
二〇一一年三月一一日、午後二時四六分、東日本大震災が発生。三陸沖を震源とするマグニチュード九・〇の東北地方太平洋沖地震により、東日本太平洋沿岸部に大津波が襲来。岩手県、宮城県、福島県で甚大な被害が発生した。さらにこの津波によって福島第一原発事故が発生している。

リアス・アーク美術館
宮城県気仙沼市と南三陸町による気仙沼・本吉地域広域行政事務組合が管理運営

カタストロフィを経ることで複数の表現物へと昇華されることになった。

当館は美術館であるが美術作品コレクションをもたずに開館した。もろもろの事情から常設展示は歴史・民俗・生活文化系の資料を「押入れ美術館」と称して公開する、いってしまえば変な美術館だった。

二〇〇〇年前後に回避不能となった財政難のおり、この常設展示を有効化しなければならない必要性が生じ、大規模なリニューアルを自力でおこなった。歴史・民俗系の新常設展示「方舟日記」（写真2）は地域において高い評価を得ることになり、当館は地域における立ち位置の確立に成功した。本来、美術・美術教育・モノづくりを専門とするわたしは、このリニューアルを経て地域文化の専門家として地域住民からたよられる存在となった。

写真１　リアス・アーク美術館・外観
（写真提供：リアス・アーク美術館）

写真２　リアス・アーク美術館・歴史民俗資料常設展示「方舟日記」
（写真提供：リアス・アーク美術館）

東日本大震災の発生以降、わたしは津波によってひきはがされてしまった地域の文化的記憶と記憶を宿すモノを回収するフィールドワークをおこなってきた。そして回収した断片をアーティステ

する公立美術館。「リアスの方舟」を意味する。美術館ではあるが同地域の歴史・民俗系資料もあつかう総合博物館的な施設。開館以来、地域密着型の小規模美術館として多くの企画を開催、その独自性が評価されている。

存在を疎まれる施設　バブル経済の崩壊によって地域経済は大きな影響を受けた。一般市民にとってぜいたく品と見なされたリアス・アーク美術館は、開館と同時に一部地域住民から「財政難の元凶」との誹りを受け、「廃館とともに福祉施設への用途変更をもとめる」との声も聞かれた。

新常設展示「方舟日記」　「アーク」は方舟を意味する。方舟日記は気仙沼地域の歴史・民俗・生活文化資料を、食文化を軸として紹介する展示。筆者の手によ

イックな手法によって修復する、つまり表現物へと昇華させる活動をおこなってきた。ここではその活動理念と内容、活動過程、さらに今後の展望について紹介してみたい。

1　東日本大震災、被害拡大の背景

東北地方太平洋沿岸部は、V字状の深い入り江が平地を介さず山並と接する典型的なリアス地形として知られている。外洋の影響を受けにくい入り江内には川が流れこみ、栄養ゆたかで静かな内湾が形成されている。また外洋に出れば、世界三大漁場にも数えられる三陸沖の好漁場が存在し、多種多様な海産資源を安定的に得ることができる。そのような環境によって、気仙沼湾沿岸部には古くから人が定住し、海から生活の糧を得る漁労文化が形成されてきた。現在、気仙沼湾の内外ではカキ、ホタテ、ホヤ、ワカメなどの養殖業が盛んにおこなわれており、沖合から漁獲されるカツオの鮮魚水揚げ量は長年日本一をほこっている（写真3）。

写真3　唐桑大島瀬戸　2000年ころ
（写真提供：リアス・アーク美術館）

海とともに、山から得られる豊富な木材、竹材などは、漁業をおこなううえで必要不可欠な船、漁具、養殖イカダなどさまざまな物を生み

る手書きイラスト解説パネルが特徴的である。食のまち気仙沼を文化的視座から紹介する展示として地域住民の評価を得ている。

チリ地震津波
一九六〇（昭和三五）年五月二二日南米チリ沖、チリ海溝で発生したマグニチュード九・五の巨大地震により発生した津波。太平洋を伝播した津波が五月二四日には日本に到達し、全国で一四二名が犠牲となった。

人口三〇万人分
実際は一九八〇年のピーク時で約九万二〇〇〇人。同ダム構想はその後撤回された。

だした。さらに、塩の生産や漁獲物の保存、加工に必要な薪や炭も、身近な山から豊富に得られた。

リアス地形は狩猟採集の暮らしには適しているが、平地を必要とする稲作には不向きである。同地域では近世以降、かぎられた平地を開拓して農地を拡大し、同時に水際を海方向へと埋め立てることで居住地や水産、加工業用地を拡大、さらに大型化する漁船等を係留、水揚げできる港を築いてきた。

一九四八〜五三年にかけて、気仙沼地域では大規模な埋め立てがすすめられ、大型漁船による水揚げを可能とする魚市場も新設された。その後、高度経済成長期にかけ、農地化されていた埋立地が宅地化、商業用地化され、気仙沼市の中心地は旧来の内湾エリアから、埋め立て地である南気仙沼エリアへと移転した（写真4）。

一九六〇年五月にはチリ地震津波が襲来し、気仙沼市では約四〇〇〇戸の浸水被害と二名の行方不明者を出した。しかし、この津波が沿岸部の埋め立て、開発に見直し等の大きな影響をあたえることはなかった（写真5）。

一九六八年には新設された商港石油基地が稼働。一九七四年には気仙沼大川の上流部にまちの将来を見すえ、人口三〇万人分の生活用水を確保可能なダム建設構想が発表された。

以上のように、気仙沼市では昭和初期から一九七〇年代にかけ、大規模な沿岸部埋め立てや開発がおこなわれてきた。とくに、戦後それは加速度的に規模を拡大し、湾内の水質汚染なども深刻化した。また同時期に発生したチリ地震

写真4　気仙沼湾　昭和35（1960）年ころ
（写真提供：リアス・アーク美術館）

写真5　気仙沼湾　昭和40（1965）年ころ
（写真提供：リアス・アーク美術館）

津波は、本来ならば沿岸部開発の是非を問うべき出来事だったが、「チリ地震津波特別措置法」による多種多様な防災構造物設置促進の方針を受け開発は逆に加速化した。

気仙沼市は過去数回の合併を経て現在にいたっている。明治と昭和の二度の三陸大津波では、一九五三年以降に合併している各地区に大きな被害があった。二度の合計で死者数は約二〇三〇人、発生間隔は三七年ほどである。しかし、合併以前の旧気仙沼町史には、この二度の大津波による被害記録がない。よって、住民意識としては、「過去二回大津波が発生したが、気仙沼町に被害はなかった、気仙沼は半島と島に守られている」との解釈が一般化し、さらに一九六〇年以降の気仙沼市では、「気仙沼に被害をあたえた唯一の津波はチリ地震津波」との誤認が定着していた（写真6）。その後、国策として津波防潮堤等が建設されたことで、津波は防潮堤によって防ぐことが可能とされ、海抜わずか二メートル程度の埋立地は新興住宅地となった。「気仙沼市は津波被害を受けない安全な町である」との幻想が根づき、二〇一一年には平成の三陸大津波による甚大な被害を招いてしまった。

写真6　気仙沼市波路上漁港　2008年ころ
（写真提供：リアス・アーク美術館）

2　研究動機は使命感

大規模災害が発生した場においては、その伝承を趣旨とした災害記録資料展示施設を設置する事例が

チリ地震津波特別措置法
一九六〇年のチリ地震津波は北海道から沖縄にいたる各地で被害を出した。津波の規模としては四メートル程度だったことから構造物主体の対策がとられることになり、一九六〇年六月には防潮堤、防潮壁、津波堤防、津波水門の設置を推進するための法律としてチリ地震津波特別措置法が公布された。

三陸大津波
一八九六（明治二九）年に発生した明治三陸津波では約二万二〇〇〇人が犠牲となった。一九三三（昭和八）年の昭和三陸津波では死者、行方不明者の合計が約三〇六〇人におよんだ。

多く見られる。さまざまな社会的機能を失い、かつ財政的にきびしい被災地では、独立採算性を保つ複合文化施設や、利益を生みだす観光施設の設置が熱望される。ゆえに災害記録資料展示施設もそのようなコンセプトで設置されてしまう。しかし本来、施設設置の目的は「人命と地域の歴史、文化を守ること」でなければならないはずだ。

未来を守るとは、過去と現在を守り未来につなげることを意味する。災害そのものや、災害が大規模化した歴史的・文化的背景などを追究し、地域文化を進化させる活動を恒久的におこなうことこそが、災害記録資料展示施設の使命である。ゆえにそれは教育施設であることが望ましい。

二〇一一年まで、日本国内における大規模災害被災地に整備されてきた災害資料展示施設の多くは、「自然の驚異を伝えるとともに、それをのりこえた復興の軌跡と成果を伝えるもの。また、最新のデジタル機器等を駆使した体験コーナーを設け、防災を楽しみながら学べる体験観光施設」といったコンセプトで設置されている。そのような施設は災害と災害復興のステレオタイプを構築するが、わたしがみずから経験し、学んできた津波災害と復旧、復興の実態はそれと合致するものではなかった。ゆえにわたしはあらたな価値観の必要性を強く意識させられ、同時に、災害資料展示のあたらしいありかたをみずからが創造していかなければならないという社会的使命を強く意識することになった。

3　風景の回収・記憶の回収

高台に位置するリアス・アーク美術館は東日本大震災による津波浸水被害を免れたが、

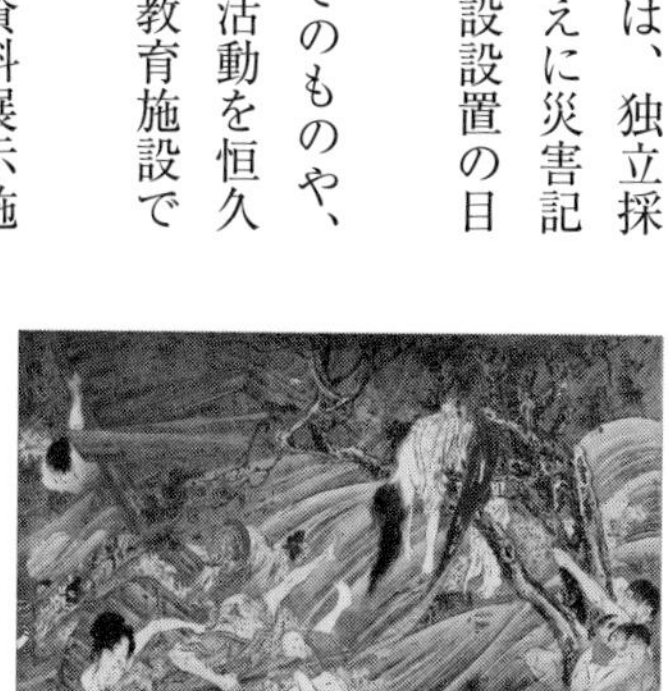
風俗画報　大海嘯被害録より

一九五三年以降に合併している各地区
旧鹿折村、松岩村、階上村、大島村の各浜。

平成の三陸大津波
東日本大震災（東北地方太平洋沖地震）による津波。同津波には津波のみを表す呼称がないため伝承活動などでは「あの津波」などの表現がもちいられている。そのような現状をふまえ、職員のほとんどが自宅の浸水、流失、人的被害を受けた。わたしも自宅を失った。当館の運営母体である気仙沼市と南三陸町ははかり知れない被害を受け、当館もその存続が危ぶまれた。

わたしたち学芸員は美術館復旧の可能性、自分たちの役割について協議し、「たとえ閉館になったとしても、未来のために記録調査をおこない、資料をのこさなければならない」との結論にいたった。震災発生以前に当地域が築きあげてきたあらゆるものの最後の姿を記録し地域再生のためにのこしておくこと。同時に津波がどのように襲来したのか、その記録をのこしておくこと。そしてなぜこのような事態にいたったのか、人間側の問題を明るみにすること。これらの課題を記録調査によって解決していくことをわたしたちの使命と定義し、二〇一一年三月一六日より独自に「東日本大震災記録調査活動」を開始、同月の二三日より公式な特命を受け、その後約二年間、気仙沼市内、南三陸町内の津波被災現場をくまなく記録調査し膨大な資料を蓄積した。

記録調査活動の内容

・写真記録の方法

被災現場においてデジタルカメラによる静止画の撮影をおこない、その際現場で得られたさまざまな情報を日誌に記録した。また、静止画には撮影時の現場の状況や、そこでシャッターを切った理由など、記録者みずからが音声や時間経過の記録にかかわる文章を添付した（写真7・8・9・10・11）。

わたしは明治三陸津波、昭和三陸津波の呼称にならって同津波を平成の三陸大津波と表現することを提唱している。

東日本大震災記録調査活動　リアス・アーク美術館学芸係職員が独自に開始した、東日本大震災および大津波被害記録、調査活動。気仙沼市、南三陸町への被害実態を記録、調査し、地域の重要な歴史、文化的記憶として後世に伝えるとともに、防災・減災教育のための資料として活用可能なようとりまとめることを目的とする。

公式な特命　リアス・アーク美術館の管理運営をおこなう気仙沼・本吉地域広域行政事務組合管理者＝気仙沼市長並びに同組合教育委員会より「東日本大震災　記録調査活動調査員」の任命を二〇一一年三月二三日に受ける。

写真 7　被災現場記録活動の様子
(2011 年 3 月 23 日)
(写真提供：リアス・アーク美術館)

写真 8　気仙沼市波路上漁港
(2011 年 3 月 27 日)
(写真提供：リアス・アーク美術館)

写真 9　津波によって壊滅した埋め立て造成地（気仙沼市・南気仙沼地区）
(2011 年 4 月 5 日)
(写真提供：リアス・アーク美術館)

写真 10　気仙沼市岩月千岩田
(2011 年 4 月 9 日)
(写真提供：リアス・アーク美術館)

写真 11　本吉町小泉海岸付近
(2011 年 5 月 16 日)
(写真提供：リアス・アーク美術館)

・被災物の収集

写真のみでは被災現場の状況、現場で受けた衝撃をうまく伝えきれないことから、被災物を収集した。被災物はA「津波の破壊力、火災のはげしさなど物理的な破壊状態が一見してわかるもの＝破壊された建築物等の一部、あるいは火災によって変形、変質した金属製のもの」、B「災害によって奪われた日常を象徴する生活用品や、震災以前の記憶を呼び起こすようなもの」の二種に分類して収集した（写真12）。

Bについてはおもに津波によって流出し、漂着した日用品である。わたしたちが伝えるべきは被害の数的な記録ではなく、被災した人びとの心、破壊され、奪われてしまった日常の尊さである。換言するなら、それはそこにあった地域文化ということになる。

写真12　被災物を収集する様子
(2011年11月22日)
(写真提供：リアス・アーク美術館)

被災物
「被災物」とはわたしの造語である。一般には種別、状況を顧みずそれらを「ガレキ＝不要なゴミ」と呼ぶが、不適切と判断し被災物と表現している。

・被災者による記録調査活動の重要性

わたしたちがおこなった記録調査活動は「被災者みずからが被災地を記録する」という、あの状況下ではまれな活動だったと考えられる。被災現場では多くの報道カメラマンが写真撮影をおこなっていたが、被災当事者、生活者でなければとらえられない視点があるはずだとわたしは考えている。

わたしたちの使命は、被災から地域を再生していくうえで必要な文化的記憶を記録することだったと解釈している。文化とは「物や行為を介して伝えられる、あるいは確認できる、ある地域、時代、あるいは時代を越えた人びとの暮らし、信仰、習慣等」であり、つまりは「積み重ねられた人びとの暮らしの記憶そのもの」が文化である。ゆえに、その記録活動は記憶を共有、理解している者にしかおこなうことができない。

災害時の現場記録調査活動とは、ただたんに災害の被害内容を記録し後世に資料としてのこすこととはちがう。被災した場所がどのような地域文化をもっていて、それがどうなってしまったのか、なぜそうなってしまったのかということを、復旧、復興の過程で熟考するための資料、「過去、現在、未来をつなぐ」ための資料を作成する活動なのである。

4　災害伝承の意味

気仙沼市における東日本大震災の津波被害は埋め立て造成地に、とくに戦後の埋め立て、開発によって整備された土地に集中した。それはわたしたちが三陸沿岸部に生きるうえで必要不可欠な津波にかんする知識や経験、危機意識を文化的に継承できていなかったことを物語っているといえるのではないだろうか。

その点を教訓にし、リアス・アーク美術館では災害の発生を不可抗力の現象とせず、異常な自然現象が災害化する背景にみられる地域史や文化史、蓄積されてきたヒューマンエラーの存在に目をむけさせ、同じあやまちを未来にくり返させないための恒久的な学びの場を整備してきた。すなわち「東日本大震災の記録と津波の災害史」常設展示の整備、公開である。その目的は正しい意味での災害伝承をおこない、地域文化を進化させることで

ヒューマンエラー　明治三陸津波規模の大津波が襲来することを前提とするべき三陸沿岸部において、戦後復興事業、あるいは高度経済成長政策の一環として無防備な埋め立て開発などをおこなったこと。さらにチリ地震津波を基準におこなわれた防潮堤整備などにより、津波災害は克服されたものと一般に誤認されてきたことなど。

「東日本大震災の記録と津波の災害史」常設展示　資料総数約五〇〇点。二〇一一年三月一一日から約二年間にわたる学芸員の記録、調査資料を二〇一三年四月三日より常設展示している。展示構成は被災現場写真二〇三点、被災物一五五点、歴史資料一三七点、その他関連資料による。想像力の発現をうながすために物語をもちいるなど、博物館展示において他館では前例のない手法をもちいている。

ある（写真13）。

災害伝承とは災害にかんする文化的要素を、世代を越えて伝えることであるが、伝えつづけるためには日常的必要性の持続が不可欠である。仮にその必要性が失われれば伝承も途切れることになる。災害伝承をおこなっていくためにはその必要性を裏づける「さけがたい危機の存在」が必須である。「危機は去った」と宣言したその日から、ヒューマンエラーは蓄積され、災害の種は成長を開始する。「人間の力で自然を支配することはできない、危機がとりのぞかれることはけっしてない」、そのような考えを文化的に定着させるための災害伝承を持続していかなければならない。

5　おわりに　アートと災害伝承

「記憶の分有、共有、拡散をはかり、地域住民の命を守る展示」を実現するために、わたしは美術展示手法や、比喩表現による展示解説等を自館の災害記録資料常設展示で試みてきた。自然を変えようとする「防災」ではなく、みずからが変わることで被害を軽減する「減災」を目的に災害の記憶等を伝承していくためには、学術的記録資料のみならず、身体的感覚、感情などを刺激する何か、たとえば物語などの存在が必要だとわたしは考えている。

減災行動をおこさせるためには実感をともなう危機意識が必要である。学習者自身がもっているはずの相似の経験を想起させ、痛み、悲しみ、怒り、恐怖などの身体的共感を引

写真13　リアス・アーク美術館・常設展示「東日本大震災の記録と津波の災害史」（写真提供：リアス・アーク美術館）

きだし、未経験の事柄に現実味を帯びさせる。そのためには学習者自身の「想像力」が不可欠であり、伝える側は、想像力を発現させる伝えかた、適切な表現を創出しなければならない。ゆえに、そのような表現の追求においては、科学的視点のみならず、芸術的視点、感性に訴える表現が必要なのである。

これまで、災害伝承を趣旨とする施設がおこなってきた展示では、客観的な事実や科学的、学術的な記録、資料に偏った展示デザインをセオリーとしてきた。しかし、わたしが自身の経験から得た津波災害の教訓と記憶を、そのセオリーにしたがって表現し、伝えていくことはむずかしい。主観として認識されたはずの記憶を、第三者が共有するためには、それぞれがもつ主観的記憶、相似の記憶を重ねあわせる以外に方法がない。アート作品はまさにそれを実現するための装置といえる。誤解のないように補足すると「震災という現

写真14　物語とともに展示される被災物「タイル片」「炊飯器」「足踏みミシン」（写真提供：リアス・アーク美術館）

象をアート作品で表現する」のではなく「アーティスティックな手法で震災という現象を表現する」、つまり芸術的アプローチでそれを表現するという意味である（前ページ写真14）。

芸術的アプローチにおいては、さまざまな表現様式、媒体をもちいて総合的にイメージを表現するべきだとわたしは考える。絵画、彫刻、インスタレーション、画像、映像、文学、音楽、舞踏などの身体表現、さまざまなものをミックスして「物語と身体感覚を伝える伝承の型」をアーティスティックに生みだすこと。たとえば「祭り」などはそのようにして築きあげられてきたひとつの型ともいえる。そして、そういった型の創出こそが未来を守る鍵なのではないかとわたしは考えている。

〈参考ウェブサイト〉

リアス・アーク美術館ホームページ〈http://rias-ark.sakura.ne.jp/2/〉二〇二〇年四月二日閲覧

山内宏泰（やまうち・ひろやす）

わたしは美術家である。一部の美術家は作品を創造する過程で多くの時間を調査研究、フィールドワークにあてる。わたしもそのタイプの美術家である。そして学芸員という職業柄、学術目的の調査研究も日常的におこなってきた。現在は二〇一一年三月からはじまった地元の津波被災調査、そして国内外の大規模災害被災地におけるフィールドワークに時間を費やしている。その成果はいずれアーティスティックな手法で書籍化するつもりである。

＊　＊　＊

■わたしの研究に衝撃をあたえた一冊『風俗画報大海嘯被害録』（上・中・下）

二〇〇五年、わたしは明治三陸津波を紹介する展覧会企画調査研究の目的で同書を手にした。旧漢字や文語体で綴られた内容を口語訳し、掲載図版とともに展示した。二〇〇六年九月のことだった。いわゆるジャーナリストの取材による本書には、明治二九年の津波被災現場状況が詳細に記録されている。学術資料ではないため、鵜呑みにできない内容もふくまれるが、わたしにとっては津波災害研究と、災害伝承研究のきっかけとなった重要な書物である。

東陽堂支店
一八九六年

核と物

――藤井　光

1　モルフォロジーの教室で

一七世紀フランスのパリに最初に設立された美術学校エコール・デ・ボザールには、円形型の劇場様式の古めかしい教室がある。そこでは美術の学生と医学部の学生のためのモルフォロジー（形態学）の授業がおこなわれていた。人体の外形的な現れだけでなく、骨や筋肉、器官といった体内の構造と形態を知ったうえで、人間の身体を描写する場所だった。かつて使用されていた解剖台こそいまでは教室の裏側にひっそりとおかれてはいるが、自然を模造することを起源とした西洋美術史の古典として、二〇〇年以上かけて収集されてきた人骨を教材とした授業は今日でも開講されている（写真1）。

写真1　頭蓋骨デッサンまたは収蔵庫

エコール・デ・ボザール
一七世紀フランスのパリに最初に設立された美術学校。

モルフォロジー（形態学）
おもに人体を中心とした生物の構造をデッサンをとおして視覚化するための知識体系。

写真2　モルフォロジーの教室での議論

わたしは、そのモルフォロジーの授業で、これまで描かれてこなかった異物をもちこむことにした。それは、通常の意味でのオブジェ〈物〉ではない。一万キロ離れた日本からわたしが運びこんだものは、肉眼的・視覚的に記述することが困難な「福島第一原子力発電所事故」というオブジェ〈対象〉だった。あの厄災を解剖台の上にのせ、いまだ見えない形状や構造を切り開き、あらたな問題を発見したいと思った。ただ、わたしは絵を描くという伝統的な方法論でなく、公共空間に創造的な出来事をつくりだす現代美術にかかわる美術家として「核と物」と題する議論の場を一般に開いていくことにした。

わたしのよびかけに応じてくれた人びとは、マルク・ボアソナッド（F93セーヌ・サン・ドニ文化科学センターディレクター）、エリザベース・クラヴェリ（人類学者、フランス国立科学研究所ディレクター）、パトリシア・ファルグエリ（美術史学者、フランス国立社会科学高等院教授）、ソフィア・ユーダ（人類学者、フランス国立科学研究所ディレクター）、マレニ・パヴェ（映画作家）、ステファン・ソトゥ（アーティスト、フランス国立ヴェルサイユ建築学校教授）、ヴァンシェンヌ・デセェート（哲学者、ベルギー国立リエージュ大学教授）、クレリア・チェルニック（哲学者、エコール・デ・ボザール教授）といった多彩な顔ぶれだった（写真2）。

2〈フクシマの物語〉から〈わたしたちの物語〉へ

二〇一九年四月二五日、モルフォロジーの教室に集まる数週間まえ、わたしたちは一〇万キロ離れた福島県富岡町役場前にいた。そこで、震災後に閉館してしまった双葉町歴史民俗資料館の元学芸員の吉野高光氏とわたしたちの「ツアー」を調整してくれた福島県立博物館学芸員の川延安直氏と待ちあわせていた（川延氏は急用で筑波匡介氏が代理参加する）。吉野氏が全員に線量計を配布し、希望者にはタイベックスーツ（防護服）が用意されていた。ツアー参加者のなかには、人類学者のソフィア・ユーダのように震災後の福島を何度もおとずれ、被災地の変わりゆく複雑な現実を見聞きし「放射能と共存する」とはどういうことなのかをフィールドワークをとおして考えつづけている者も多い。そのためか放射線の防護としては機能しない簡易型のタイベックスーツは、装着する人としない人にわかれた。わたしたちはマイクロバスに乗りこみ、かつて警戒区域ということばで立ち入り禁止措置がなされ現在は「帰還困難区域」と呼ばれる双葉町にむかう。フランス語に逐次通訳される吉野氏のガイドを聞きながら、ツアー参加者の視線は車窓の外にむけられている。

エコール・デ・ボザールでの議論は、双葉町の視察の報告からはじめられたが、それにたいし、聴衆から「ダークツーリズム」だとはげしい批判があがった。植民地時代におけるフランス知識人の圧政者としての行動と関連づける主張にたいして、「双葉町では観光を目的とする訪問は受け入れていない。わたしたちの立ち入りが許可された理由は、被災地がかかえる課題を地域や国を越えた連携によって共有することが、双葉町にとって公益性があると判断されたためだ。立ち入りの権限は、双葉町にある」と、わたしが反論すべ

福島県富岡町
福島県浜通り、双葉郡の中心にある町。

双葉町歴史民俗資料館
一九九二年に開館。町内遺跡の出土品や民俗資料などを展示していたが原発事故後に閉館。

福島県立博物館
一九八六年に福島県の総合博物館として開館。震災遺産の保全・活用による東日本大震災の共有と継承を積極的に試みている。

帰還困難区域
原子力災害により五年以上の長期にわたって居住が制限される地域。

双葉町
福島県浜通り中部にある町。福島第一原子力発電所が立地している。

ダークツーリズム
災害被災跡地、戦争跡地な

きだったのかもしれない。しかし、わたしは黙っていた。仮にわたしが双葉町を代理するように「正論」をいえば、議論は収集されただろう。しかし、わたしは登壇者でありながらも、そのようすを映像で記録するために現地で三名のカメラマンと二名のサウンドエンジニアを雇い、映像作品を撮影中の監督でもあった。議論が熱を帯びてくるのを横目に、自分の黒い欲望をかくすので精一杯だった。

震災後一七日めからわたしは被災沿岸エリアにいき、映像制作をはじめている。当初はソーシャル・ネットワーク上で被災地の映像を発信していたが、しだいに映画館でドキュメンタリー映画を発表するようになる。その後、美術館での発表が多くなり今日にいたるが、二本めのドキュメンタリー映画の制作をしていた二〇一三年ごろは、反原発運動も沈静化し、「震災映画」の観客動員はむずかしいという劇場側の経済的理由から上映が困難になっていた時期だった。

東日本大震災が発生して一年後の時点で、すでに八〇〇本をこえる映像作品が公開されたといわれ、わたしたちはカタストロフの「超可視化」の時代に生きている。アメリカの経済専門の放送局ブルームバーグテレビジョンが、日本で発生した「巨大地震」の第一報を震災発生から五分後に流したが、いまや、世界中の災害や紛争の惨事が瞬時に情報化され、数々の視覚情報がスマートフォンにとどけられる。個人のインスタグラムの投稿をふくめ、膨大な量の厄災表象にとりかこまれたわたしたちは、多様なチャンネルをとおして惨事を見ている。そのひとつひとつが現前におこった危機的な現実を知るために不可欠なものであることはまちがいない。そのいっぽうで、表現者として厄災を表現すればするほど、危機を過去へと追いやり、忘却を加速化させてしまうという奇妙なパラドックスに陥

どをおとずれる観光。

カタストロフの「超可視化」
人間社会および自然界の大変動がメディア技術の発展により瞬時に情報化される現象。

インスタグラム
スマートフォンで撮影した画像や短時間動画を共有するサービス。

っていく。

このような問題意識をいだきながら、劇場公開された二本めの映画では、原発事故という主題を物語の奥ふかくへとかくすことにした。過剰なほどに視覚化された〈フクシマの物語〉ではなく、非被災地の観客においてもそれぞれの日常につながる〈わたしたちの物語〉へと作品を変質させなければ「震災映画」は経済的合理性に淘汰されてしまう。わたしが進展を見守ったパリでの論争は、フランスにおいて、外部の者が原発事故をどこまで知ることができるかという〈わたしたちの物語〉へと転回する場面になるかもしれないと予感した監督としての造形的判断だった。

3　破滅の記憶を歴史化する

検問ゲートで身元確認をおえ、マイクロバスは双葉町へと入っていった。帰還困難区域は、巨大津波によって破壊しつくされた被災沿岸エリアとちがい、二〇一一年三月一一日で時間がとまっているような錯覚をおぼえる。仮にこのまま、三〇年、五〇年と経過するならば、原発事故の記憶を伝える震災遺構としてだけでなく、町全体が当時の暮らしを伝える遺構となるか

写真3　解体除染の現場

もしれない。しかし、一見すると震災直後の状態と変わらないように見える住宅でも、その内部においては、雨漏りによって天井が崩れ、部屋全体へとカビが繁殖し、侵入した野生動物によって回復不可能な状態まで汚損している。それら自然の脅威に抗するように、人間の「解体除染」がすすみ、住宅はひとつまたひとつと解体されていく（写真3）。

一〇〇年後に震災を思いだすことを可能にさせ町なかに存在する物理的な建造物はなんであろうか。被害者の感情に配慮し、復興を優先させるために震災遺構の撤去がすすむ沿岸エリアでは「巨大防潮堤」だと皮肉をこめて語られているが、福島においては、事故現場の原子力発電所に加え、わたしたちが立ちよった「中間貯蔵施設」もそのひとつになるかもしれない。吉野氏が案内してくれたのは、その建設現場の一角にある発掘現場だった。巨大な重機とダンプカーが行き交うなか、福島県の考古調査員が、足元の土の微細な色の変化をさし示し、奈良・平安時代の集落があったことを教えてくれる。目の前には、放射性廃棄物をつめこんだフレコンバッグが一面に積みあげられ、コンクリート製の巨大な穴が出現しようとしているその場所で、一〇〇〇年以上もまえの時間を想像するのは不思議な感覚をおぼえた。この発掘現場も地層ごと掘りおこされ、巨大で空虚な穴になるのだろう。

美術史家のパトリシア・ファルグエリは「日本は、自然災害、戦争、環境破壊といった破滅の記憶をこれほどまでに有するが、それらが〈歴史化〉されるまえに、べつの破滅がおきている」とモルフォロジーの教室でわたしを問いつめた。負の記憶を脱色させ、消去する傾向にある日本では、忘却に抗する未来への希望は、厄災の痕跡がいっさいぬぐい去られようが、惨事がおこった「場所」そのものだけは動かずにのこるということだった。

巨大防潮堤
巨大津波をくいとめ、陸地が浸水しないようにするための構造物。

しかし巨大化する現代の土木事業は、場所そのものを削ぐほどに地形や風景、自然環境をも変えてしまう。わたしたちは、いかなるオブジェ〈物＝対象〉を代理にして破滅の記憶を歴史化し、未来の住民に応答していけるのだろうか。

閉鎖された双葉町歴史民俗資料館に入るには、外界から放射性物質をもちこまないために、靴をはきかえる必要があった。福島第一原子力発電所から四キロに位置する鉄筋コンクリート造りの博物館内部の線量は低かったものの、電源が喪失し空調管理ができない無人の状態になっていた。そのため事故以降、博物館は収蔵品の盗難、カビの発生、動物による破壊の危機にさらされている。当時、吉野氏ら学芸員は、一時的に博物館にもどり、緊急対応として収蔵品を旧警戒区域外へと救出していった。しかし、**電離放射線障害防止規則**という法律によって、高放射線量の地域で作業すること自体が禁じられ、博物館から収蔵品をもちだすことは困難を極めた。国が設置した**被災文化財等救援委員会**ですら、旧警戒地区の文化財の救援は対象外としていた。そのため吉野氏は、チェルノブイリ原発事故の例を参考に、収蔵品をもちだすためのガイドラインを独自に作成する。その結果、国の救援委員会も動きだし、作業者の防護体制が整えられ、収蔵品がもちだせるようになっていった。保護対象となる収蔵品自体が発する放射能の値をひとつひとつ測定し、基準に準ずるものだけをもちだしていったが、一日の作業時間は制限されていたため、作業完了まで三年をついやしている（写真4・5・6）。

わたしたちは吉野氏をガイドに薄暗い展示室を進んだ。懐中電灯で照らされた発掘現場のパネル写真や解説から、石器時代からはじまり近代までの双葉町の長い歴史が直線的な時間の流れに沿って展示構成されていたことが読みとれる。わたしたちは他者の過去を想

電離放射線障害防止規則
放射線からの労働者の安全と衛生についての基準を定めた日本の法律。

被災文化財等救援委員会
文化庁の要請により二〇一一年に文化財・美術関係諸団体等が結集。被災博物館・資料館等で、地域の文化財の救援をおこなう。

像することがとうてい不可能であることを知りながらも、それでもなお、すぎさった時空間を知るために展示された過去の断片から想像しようとするが、空虚となったガラス製の展示ケースは、過去への想像力を否定する。だが、あたかもそこに展示品が実存するかのように語る吉野氏の語りは、それ自体が、震災まえに日常的におこなわれていた学芸員の仕事であり、双葉町の過去と現在の緊張関係を垣間見る。哲学者のヴァンシェンヌ・デセェートは、双葉町歴史民俗資料館での自身の体験を、その場に流れる複数のことなる時間の層を明晰に分析しながら語っていた。人間の力をこえる甚大なカタストロフは、これま

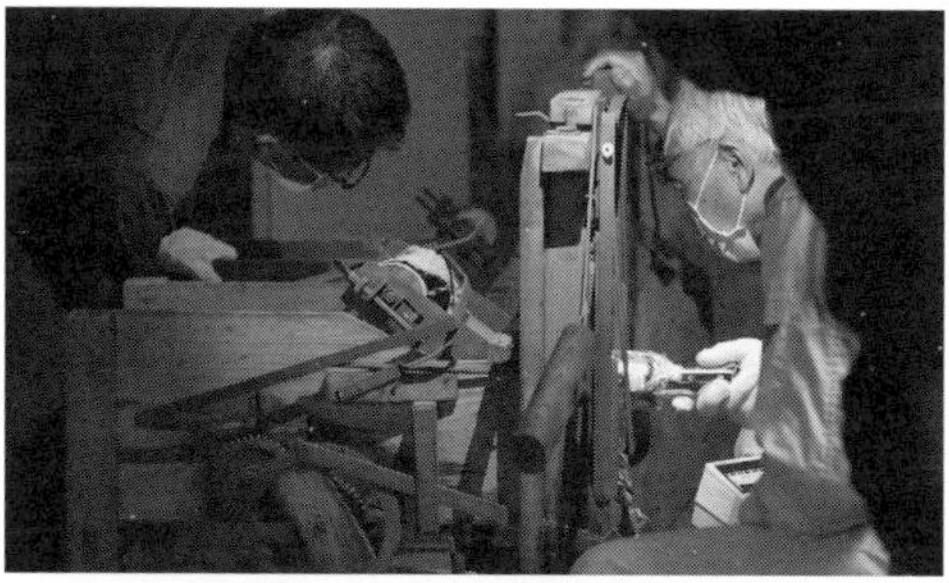
写真４　収蔵品の救出（双葉町歴史民俗資料館）

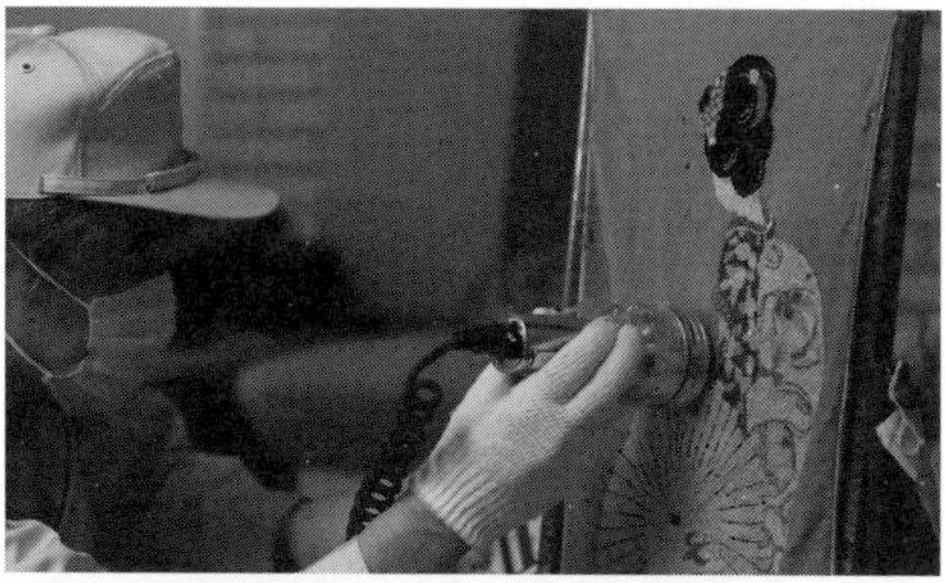
写真５　収蔵品の救出（双葉町歴史民俗資料館）

写真６　収蔵品の救出（双葉町歴史民俗資料館）

写真7　収蔵品が運びだされたあとの展示室の写真
（双葉町歴史民俗資料館）

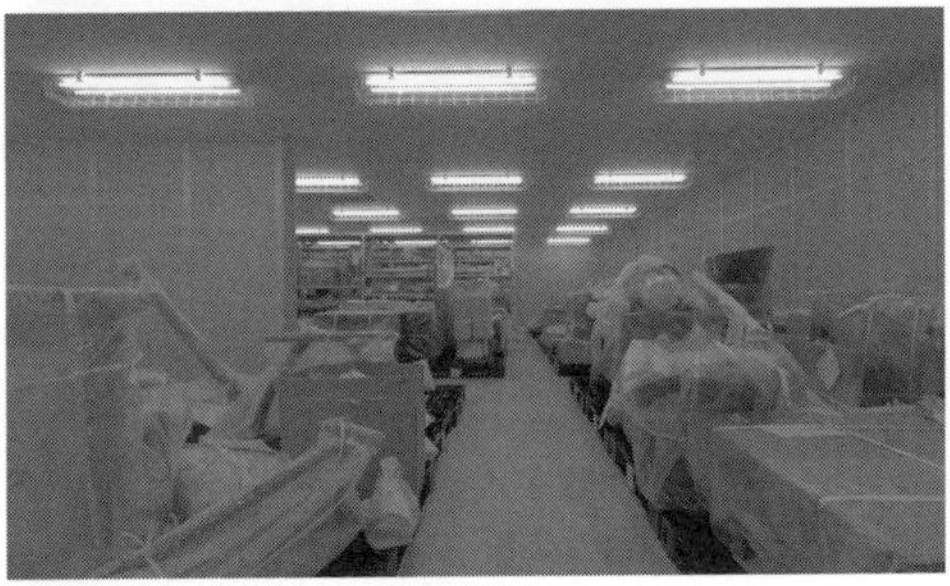

写真8　救出された収蔵品
（福島県文化財センター白河館）

で直線的にたばねられてきた複数の時間を乱調させ、無規律に分裂させてしまう（写真7）。破滅的な厄災に遭遇したわたしたちはつぎの瞬間から「復興の物語」を語りだすが、それは、過去から未来へと直線的に流れる時間をとりもどそうとするからかもしれない。危機に抗し、のりこえていく人間の強靭な精神、知性、技術の物語は必要だろう。そのいっぽうで、復興のスピードについていけない者たちが、震災まえの過去を懐かしみ、いまはなき風景を語る声を聞く機会はすくない。原発事故により集団移動を余儀なくされた地域に流れる数千年の人びとの歴史を語ることは、その土地を奪った原発事故の重大さを物語るからなのだろうか。双葉町になぜ原子力発電所があったのかという過去の記憶を掘りおこすからだろうか。いずれにせよ、博物館から救出された土器、古文書、民具といった考古学的・民俗学的史料が存在するという事実によって、双葉町の過去の存在が証明される。

4　救出された所蔵品の未来

原発事故から救出された双葉町歴史民俗資料館の収蔵品は、今後どのような未来をたどるのだろうか。現在それらは福島県文化財センター白河館内の仮設の収蔵庫に一時的に保管されているが、いつ、どこへいきつくかは決まっていない（写真8）。博物館という施設が町から失われただけでなく、文化財の継承者であるはずの双葉町の町民は離散し、なお共同体は存続の危機に面している。

救出された収蔵品は、双葉町を理解し過去を想像するための遺産であるだけでなく、ひとつひとつに放射線量がタグづけされてしまったいま、それらは原発事故の物質的痕跡でもある。過酷事故を引きおこしたわたしたちの社会の「野蛮の記録」ということが分かちがたくつきまとっている。双葉町の文化財を適切な状態で安定的に保存する責任は、双葉町民だけではなく、地域・国境を越えた社会で共有されるべき課題である。

エコール・デ・ボザールの文化遺産主任学芸員のアリス・トミン・ベラダは、モルフォロジーの教室での議論に参加し、先行きの見えない双葉町歴史民俗資料館の収蔵品を念頭に、学内に保存されている文化遺産について語ってくれた。それらは、校舎の柱や壁、床に移植され、一見してわからないものも多いが、フランス革命期に、旧支配者（宗教者・君主・貴族）の権力の象徴として民衆の標的となり、破壊行動から救出されてきた文化財だった。当時その保存をめぐって、革命政府とはげしい政治論争があったと聞くが、救出された文化財が、美術大学の起源にかかわるという歴史は留意する必要がある。

5　おわりに

原発事故で救出された／されなかったオブジェ〈物＝対象〉をエージェントに、原発事故について考察したわたしたちの議論をここで事細かに記さない。それは、今後、映像作品として共有していく予定である。本稿は、映画でいうトレーラー（予告編）と思っていただき、最後に、モルフォロジーの教室でのわたしたちの議論を撮影したインスタグラムの投稿が「政治または国家的に重要な問題に関する広告」との理由で投稿が拒否されてしまったという「事件」について書いておきたい。

開発元のFacebook社の説明によると、フランスをふくむ一部の国では「政治広告」の認証制度を段階的に展開しているようで、ソーシャルネットワークのアルゴリズムが、後述するハッシュタグを「政治宣伝」と認識したようだ。

#Pari（パリ）
@beauxartsparis（フランス国立高等美術学校）
#hikarufujii（藤井光）
#lesnucléairesetleschoses（核と物）
#Kadist（カディスト）
#tableronde（ラウンドテーブル）

美術大学の起源にかかわるという歴史
エコール・デ・ボザールでは文化遺産の収集とその活用により過去の文化的記憶から学ぶカリキュラムが現在でも継続している。

ハッシュタグ
「#○○」と入れて投稿すると、その記号つきの発言が検索画面などで一覧できるようになる。

#nucleaire（核の）
#fukushima（福島）
#memoire（記憶）
#ecriture（エクリチュール）
#ecologie（エコロジー）
#catastrophe（カタストロフ）
#art（芸術）
#representation（表象）

本件にかんして「原発事故にかんする日本政府の情報統制」との憶測もささやかれジャーナリストの記事にもなっているが、日本政府や東京電力の広報ユニットに、Facebook社の発信する情報をコントロールするだけの政治力があるとは思えない。二〇二〇年の東京オリンピックをまえに、原発事故をあつかう芸術作品だけでなく、日本にとって不可避に発生する「地震」をあつかう作品ですら海外で発表することをタブーとする日本政府の動向はフランスで知られているだけに、その類の懐疑的な眼差しは理解できるが、環境問題が争点となった欧州議会議員選挙をひかえ「公正な選挙」のために人工知能が作動したのではないかとわたしは推測している。

結局インスタグラムの投稿は「ただの芸術活動にすぎない」と反論することによって後に投稿は許可されたが、一七世紀、まだ人体は神の創造物としてタブーの対象でもあった時代、それを切り開き、探求することができる特別な場所であったというモルフォロジーの教室の歴史性が回帰したともいえる。原発事故を知る・考えることが、忘却と内面化された集団的自己検閲によって制限される現在、その試みは、政体の構造と形態を直視することであり「どのように探求を続けるか」方法論の多様性が問われている。

藤井　光（ふじい・ひかる）

留学先のパリでユーゴスラビア紛争の亡命者たちと出会えたこともあり、一九九〇年後半にバルカン半島を横断するフィールドワークに出かけました。国際社会から経済的・政治的な制裁下におかれていた旧ユーゴスラビアへの出入国は困難をともないましたが、紛争という非日常のなかの「日常」を生きる人びととの出会いは、カタストロフと芸術の関係性を探る現在の活動に連なる経験となっています。

＊　＊　＊

■わたしの研究に衝撃をあたえた一冊『シネマ1　運動イメージ』『シネマ2　時間イメージ』

映画監督ジャン・ルーシュは映像制作によって人類学の思考をふかめましたが、彼の映画もふくめて、わたしの人生のなかで衝撃を受けた数々の映像を論じた書物を紹介します。フランスの哲学者ジル・ドゥルーズの『シネマ』です。その哲学的思考は難解で推薦するのを躊躇してしまう二巻からなる長大な映画論ですが、本書でとりあげられている映像作品をひとつひとつ観るという経験はわたしの創作活動に絶大な影響をあたえました。

ジル・ドゥルーズ著
財津理・齋藤範訳
法政大学出版局
二〇〇八年

ジル・ドゥルーズ著
宇野邦一・石原陽一郎・江澤健一郎・大原理志・岡村民夫訳
法政大学出版局
二〇〇六年

博物館×アートプロジェクト
大災害・大事故に博物館がむきあう方法

――小林めぐみ

東日本大震災と東京電力福島第一原子力発電所事故後、福島県立博物館は、震災と大事故に博物館としてむきあうためにいくつかのアートプロジェクトにたずさわってきた。二〇一一年からおこなってきたプロジェクトのなかから、その意義を提起する三つの例を紹介する。

1　土地の歴史に出会う　週末アートスクール

二〇一一年から二〇一九年現在も継続している東京都による東北被災三県へのアートプロジェクトによる復興支援「Art Support Tohoku-Tokyo」の福島県での事業（二〇一二年からは福島県も参画し福島藝術計画×Art Support Tohoku-Tokyoとして実施）に福島県立博物館の美術分野の学芸員としてかかわっている。

東日本大震災の発生から四か月ほどしたころ、東京都の担当者がたずねてきた。福島県立博物館がそれまでに現代作家との展示や芸術祭を実施していたことから相談相手に選んでいただいたのだ。東京都が「Art Support Tohoku-Tokyo」を立ちあげたこと、地元に事業企画運営のパートナーが必要であることをうかがった。まだ、東京電力福島第一原子力発電所事故からの避難者が、旅館やホテル、保養施設などにたくさんいたころだ。正直、東京都のお金でおこなう事業を手伝うことには抵抗があった。「東京に送る電気をつくっていた発電所事故のために東京都も活動しています」というポーズの片棒を担がせられたらいやだなとも思った。しかし事業が動くなら福島のためになったほうがいいとも考えた。後に、広い福島県内をフィールドとして数多くおこなった事業はもちろん、被災地支援事業だからこそ必要不可欠な現地でのていねいなヒアリングとうちあわせにも東京から足しげくかよい、私たちのとなりを歩いてくれる姿に「あぁ、この人たちは本気なんだ」と感じることになる。

福島での「Art Support Tohoku-Tokyo」は三島町、西会津町、喜多方市という福島県立博物館が所在する会津地域のNPO（二〇一三年からは太平洋側のいわき市のNPOも）と福島県立博物館、東京都（二〇一二年からは福島県、福島県立美術館も）が運営組織をつくり、企画を立て、運営は分担、協力しながら実施することになった。

初期の事業の柱が「週末アートスクール」だった。原発事故の影響で福島県の浜通り（太平洋側）、中通り（東北新幹線・東北自動車道が貫くエリア）では子どもたちの屋外遊びがひかえられていた。比較的放射線量の低い会津（新潟に隣接する山間地）へ、浜通り、中通りの子どもたちに遊びにきてもらい、週末の二日間、思うぞんぶん屋外で遊んでもらおう。そこをスタートに事業がくみたてられた。気がねなく参加してもらえるようにことさらに「線量の低いところへ」とは告げず、会津の子どもたちにも参加してもらった。プログラムには開催地の歴史や文化にふれる視点を織りこんだ。県立博物館が企画運営にたずさわっていることを生かせればとの考えだった。

奥会津の三島町で二〇一二年六月におこなった週末アートスクールでは、福島県無形民俗文化財に指定されている三島町の伝統行事「虫送り」への参加とワークショップをくみあわせた。ワークショップは、絵本作家の飯野和好さんを講師にむかえ、三島町在住の作家・半沢政人さんのアトリエを会場としてお借りした。自然ゆたかなアトリエ周囲の草花や木の枝などの素材を集めて、思い思いに虫をつくる（写真1）。想像をふくらませて創造をたっぷり楽しんだあと、夕刻は地域の子どもたちがおこなう「虫送り」に混ぜてもらった。「虫送り」は農作物に害のある虫を鎮め域外に追いだす行事。全国各地でおこなわれていたが、現在では農薬の使用と農業の衰退でとだえた地域が多い。山がすぐそばにせまる集落の通りを、初夏の宵ならではの高揚感をまといながら子どもたちの行列が進む。「虫送り」と大きく墨書した紙を四方に貼り、葉が茂る大きな枝を中央にいくつもさした荷車を引きながら子どもたちが唄う（写真2）。

テンバラ虫のオイクラヨイヨイ
何虫もオイクラヨイヨイ
万《よろず》の虫もオイクラヨイヨイ

週末アートスクールに参加した子どもたちにとっては見るのも聞くのもはじめてのこと。三島町の子どもたちと同じように唄えはしないが、夕闇を照らす提灯に導かれながらともに列をなして歩いた。害をなす虫を域外に送りだす行為は、自然とちかしい生きかた、暮

飯野和好
一九四七―。イラストレーター、絵本作家。代表作に「ねぎぼうずのあさたろう」シリーズ。カンカラ三線を手にした股旅姿で「ねぎぼうずのあさたろう」を浪曲風に読みあげる読み聞かせ公演もおこなっている。東日本大震災後は、福島県内の被災地や仮設住宅の集会場などでの公演、避難している小学校でのワークショップなどもおこなっている。

らしかたの表れだ。「虫送り」によって作物を守ることは自分たちの命を生かすことにつながる。スーパーで食材を買うことになれた子どもたちには実感がともなわなかったかもしれないが、懐かしさと敬虔さを感じさせる独特の経験はいまも身体にのこっているだろう。三島町に宿泊した翌朝、半沢さんのアトリエの周辺で、子どもたちがここだと思う場所に、前日につくった虫をおいて送りだした。

三島町での週末アートスクールは、福島の自然のゆたかさを感じること、創造の楽しさを味わうこと、地域の伝統文化にふれることを目的にした。ほかの地域ではできない三島町ならではのプログラムは、運営にかかわった人びとの連携により実現した。地域性の理解にもとづいたプランを提案し作家と地域の窓口をつないだ福島県立博物館、アートプロ

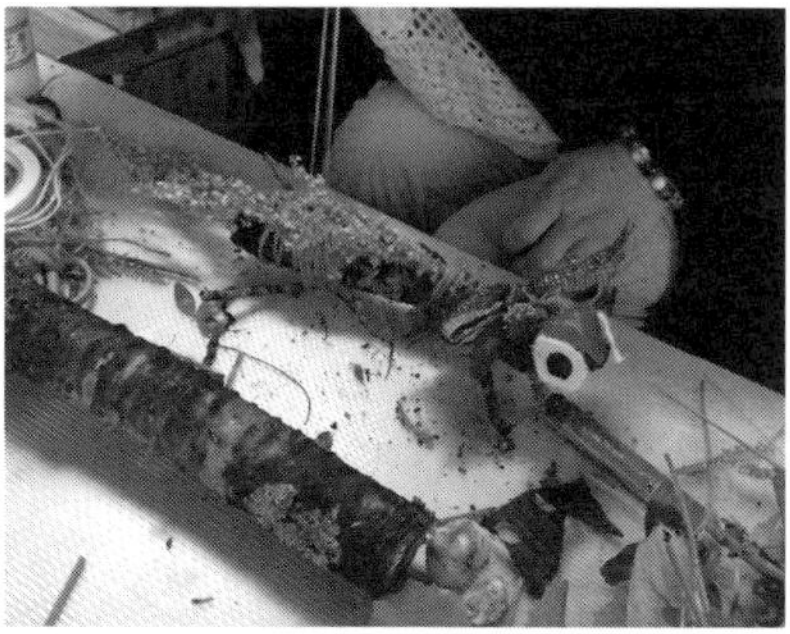

写真1　週末アートスクール三島　ワークショップのようす

写真2　週末アートスクール三島　虫送り

ジェクト運営のノウハウと予算を提供した東京都、地域の窓口として調整を担った三島町のNPO、趣旨に賛同して事業のクオリティをあげてくれた講師役の作家、惜しみなく協力してくれた地域のかたがた。「福島の子どもたちのために」とそれぞれの専門性を生かして大人たちが協働したからこそ実現した地域入りこみ型事業だった。同様に西会津町、喜多方市、いわき市で展開した週末アートスクールも、その土地独自のテーマを、地域に住む人びとと考えるところから積み重ねた。

博物館が役割としてきた「土地の歴史に出会う」ことは、二〇一一年以降あらたな意義をもつことになった。東京電力福島第一原子力発電所事故で広大な面積を汚染された福島が世界的にもたらされたマイナスイメージは、福島に暮らす人びとの心にふかい傷をきざんだ。故郷を汚された痛み、福島への誇りの喪失、差別への恐れ。それらを癒し、とりもどし、くつがえすには長い時間と努力が必要だ。「土地の歴史に出会う」ことは、その処方箋のひとつだと思われた。

福島のゆたかな自然、長い歴史と文化にひそむ人びとの志や知恵に出会うことで、それぞれの福島のイメージが回復すれば、すこしでも傷がふさがるのではないか、そんな想いでおこなってきた週末アートスクールは二〇一一年度に五回、二〇一二年度に六回、二〇一三年度に四回実施し役目を終えた。なまなましい福島の傷にほどこそうとした救急救命のような事業だったといまになって思う。

2　場をつくる　ハートマークビューイング

アーティストの日比野克彦さんが教え子の伊藤達矢さんと福島県立博物館にきたのは、二〇一一年のゴールデンウィークのことだった。伊藤さんは福島県西会津町の出身で、二〇〇九年に当館でおこなった企画展「岡本太郎の博物館・はじめる視点」にご協力・ご参加いただいたご縁があった。日比野さんは東北新幹線がようやく復旧し東京との行き来ができるようになったばかりのタイミングで教え子の故郷でもある福島をいちはやくおとずれたのだ。日比野さんと伊藤さんは、避難所となっていた西会津町と喜多方市の体育館をおとずれ、東日本大震災直後に日比野さんが復興支援としてスタートしたアートプロジェクトHeart Mark Viewingをおこなってきたという。本来住居ではない殺風景な避難所をすこしでも心あたたまる空間にするため全国各地からとどいたハートマークをつないだタペストリーを体育館に飾らせてもらい、同時にハートマークをつくるワークショップを開催。体育館の一角にスペースを借り、そこですごす人びとに参加してもらった。好きな布を選び思い思いにハートのかたちを縫って、できたハートマークを体育館に飾る。

ワークショップのようすを教えてくれた日比野さんのことばが印象的だった。

「おばあさんが、その場にいる小さい女の子に縫いかたを教えてね、縫いながら、自然とその場で会話が生まれたんだよね」

生まれるモノもたいせつだが、モノを生む場もたいせつ。Heart Mark Viewingはやが

日比野克彦
一九五八—。アーティスト。東京藝術大学教授。阪神淡路大震災の時に作家として支援が十分にできなかったことへの思いから、東日本大震災時は直後にアートプロジェクトHeart Mark Viewingを立ちあげた。被災県のほか、多地域で展開。出身地である岐阜県でボランティア・プロジェクトとしておこなっている「こよみのよぶね」は鎮魂の祈りをこめて東北でも展開している。

伊藤達矢
一九七五—。アーティスト。東京藝術大学特任准教授。とびらプロジェクト／Museum Start あいうえのプロジェクトマネージャー。恩師である日比野克彦が立ちあげたHeart Mark Viewingの福島県内での活動を牽引した。東京都のArt Support Tohoku-Tokyoの担当者と福島県

てそのことを実感をともなって教えてくれる事業になった。

一次避難所だった体育館などから、二次避難所となった宿泊施設へと避難している人びとがうつっていた二〇一一年六月。福島県立博物館から車で一〇分ほどのところにある東山温泉のホテル・旅館も二次避難所となり、東京電力福島第一原子力発電所がある大熊町が役場機能を会津若松市においたため、大熊町の人が多く避難生活をしていた。

日比野さんの福島県立博物館訪問から二か月を経て、東山温泉の旅館・原瀧でHeart Mark Viewingのワークショップがおこなわれることになった。準備期間に会津の人たちが手をあげHeart Mark Viewingチーム福島が誕生した。チーム福島と福島県立博物館は、その後協力して福島県内各地で活動することになる。材料となる布も用意された。日比野さんのよびかけで全国から布が寄付され、会津では会津木綿の織元さんが端切れを大量に提供してくれた。こうしたなかでむかえた六月二五日の午後、原瀧の広い和室に大熊町の人びとが集まった（写真3）。「大変な思いをしてきた人たちにどう接したらいいんだろう」という不安は、ワークショップがはじまると、あっというまに消えた。好きなように自分の想いをかたちにしたハートを縫うというシンプルな作業は、自然に初対面の人との会話を生んでくれた。

「どの布がいいですか」
「糸はここから選べますよ」

おたがいに声をかけながら縫いものをする。ハートをかたちにする。あとから部屋をの

立博物館をつないだ人物でもあり、福島藝術計画×Art Support Tohoku-Tokyoの企画運営委員も務めた。

企画展「岡本太郎の博物館・はじめる視点」
二〇〇九年に開催した福島県立博物館企画展。企画展示室では岡本太郎が撮影したモノの写真と福島県内の考古資料、民俗資料による「ふくしまけんぱく版「東北の太陽の塔」を展示。常設展示室を中心とした福島県立博物館の全空間では岡本太郎の視点にならいながら、現代作家たちが歴史と自身の表現を交差させた。

Heart Mark Viewing
アーティストの日比野克彦が立ちあげた東日本大震災からの復興支援を目的としたアートプロジェクト。「愛」や「気持ち」「心」をイメージするハートのかたちに寄せて、全国各地の人

ぞきにきた人もすっと会話の輪に入り、子どもたちも楽しそうに混ざっている。そうしてできたたくさんのハートマークを、最後に日比野さんが床に並べた。大熊の人も、会津の人も、東京からきた人も、配置で見えかたが変わることを楽しみながらワークショップは終わった（写真4）。

原瀧でのワークショップはうれしい展開を生む。後日、おとずれた際に支配人からお聞きしたことだ。七月に入り原瀧に避難していた人たちが仮設住宅にうつる時、大きなハートマークのタペストリーをつくって「お世話になったから」と贈っていかれたのだ。一回のワークショップで体験したことを独自に続けて、想いをとどけることに使ってくれた。原瀧の壁に飾られたタペストリーをうれしくながめながら、想いをとどける手助けをして

写真3　東山温泉・原瀧での Heart Mark Viewing

写真4　日比野克彦さんによるレイアウトに見入る

びとの被災地への想いを伝えるツールであり、被災地のコミュニケーションツールにもなった。熊本地震のおりには熊本でも実施。

写真5　楢葉町の仮設住宅集会場での Heart Mark Viewing

くれるアート＝表現というものに、私は感服していた。

Heart Mark Viewing は日比野さんを中心に福島をふくむ東日本大震災被災地で展開された。それは全国から東北への想いを伝えるものであり、被災地でのコミニュケーションツールでもあった。福島では二〇一一年の後半に仮設住宅での活動がはじまる。社会福祉協議会と連携し、会津若松市内に数か所あった大熊町の仮設住宅の集会場や会津美里町にあった楢葉町の仮設住宅の集会場でワークショップをおこなった（写真5）。ハートの縫いものをするとよびかけると、集まるのは女性が多かったが男性もちらほらと参加してくれた。ハートを縫いながら、ぽつりぽつりとことばがもれる。

避難してきた時のこと。

「私はお財布しかもってなくって」
「この人は準備いいから、いろいろもってでたのよ」
「ほんと、着の身着のままでねぇ」

故郷での懐かしい話はにぎやかだ。時にお母さんたちが男性たちをからかう。

「縫いものなんてやったことなかったべ」

「俺ぁ、けっこうやったんだぞ。むかし、縫製工場で働いててなぁ。どれ貸してみろ」

家族のこと。時にわたしたちにもことばをむけてくれた。

「あんたたち、いろいろやってくれてありがとね。でもね、わたしらは戦争を経験してるから。若いお母さんたちのこと気づかってやってね」

ことばはHeart Mark Viewingという場があったからこそ生まれた。わたしたちも話しかけた。

「この生地、会津木綿っていうんですよ。会津では江戸時代から木綿をがんばってつくっていて」

避難生活をおくるこの土地を知ってもらえたら、太平洋に面した故郷とは風土のことなる雪国にも親しみをもってもらえるだろうか。そんなことを考えながら、土地の歴史と文化にたずさわる仕事がすこしでも役に立てばと話した。「大熊町は梨が有名ですね」。そんなことばの投げかけかたは、資料調査時のヒアリングに似ていた。テーブルをかこんで縫いものをしている人たちに故郷のことを教えてもらう。そうすることでHeart Mark

Viewingは離れている故郷の再共有の場にもなった。

いくつもの仮設住宅の集会場をまわりながら、大熊や楢葉の人びととすごしたたいせつな時間は、人がつどい語る場を生みだすHeart Mark Viewingというすぐれたアートプロジェクトと、土地の歴史と文化に多少精通したヒアリング職能者である博物館学芸員というくみあわせがもたらしたような気がしている。

3　コミュニティの再生　いわき七夕プロジェクト

二〇一一年の夏に、避難している人びとの仮設住宅への入居が完了すると、つぎのステップは復興公営住宅への転居。仮設住宅とことなり長い期間の居住地となる復興公営住宅は、避難により変容した地域コミュニティを再構築する現場になると想像された。

二〇一二年度の終わりごろから、復興公営住宅の青写真が現れ、阪神淡路大震災などの教訓により、避難者の孤立、孤独死をいかにふせぐかが語られはじめていた。土地の歴史の集積所で交流の場でもある博物館は、避難者のコミュニティの再構築に役立つのではないかと思いながらも、復興公営住宅にかかわれるようになるには、被災者が入居した二〇一四年まで待たねばならなかった。

二〇一二年度から福島県立博物館が事務局を務め、福島県内の博物館、大学、ＮＰＯなどと実行委員会を組織しておこなっていた「はま・なか・あいづ文化連携プロジェクト」は時間の経過とともに変わる震災後の福島の課題に、文化芸術のアプローチによりむきあってきた。二〇一五年度から、復興公営住宅でのコミュニティ形成支援を総括するＮＰＯ

ＮＰＯ法人３・11被災者を支援するいわき連絡協議会
愛称はみんぷく。東日本大震災による地震・津波、原発事故とそれにともなう風評被害などの課題をかかえる福島県いわき市の復興にむけて、支援する人と支援を必要とする人がつどい、知恵を出しあう活動をめざす。二〇一七年にＮＰＯ法人化。

法人3・11被災者を支援するいわき連絡協議会（以下みんぷく）の復興支援プロデューサー（当時）の天野和彦さんに実行委員会へ参画していただけたことで、復興公営住宅での事業が動きだした。

いわき市小名浜に建設された復興公営住宅には、原発事故により避難していた浪江町・双葉町・大熊町・富岡町の人びとが、二〇一五年の初夏から住むことになっていた。入居者の自治にはコミュニティの形成が不可欠であり、人のつながりが孤独死を回避させるということを天野さんは強く語った。「文化こそが人と人の溝をうめ、つなぐことができる」という信念において、天野さんとわたしたちは立場を同じくしていた。「はま・なか・あいづ文化連携プロジェクト」の実行委員会構成団体のひとつだったいわき市拠点のNPO法人Wunder ground（以下ワングラ）の協力も得て、復興公営住宅支援に直接あたる「みんぷく」、アートプロジェクト実績のある地元のNPO「ワングラ」、被災地域の文化ストックをもつ「福島県立博物館」の三団体による連携体制ができた。

コミュニティ形成のきっかけをめざしていたアートプロジェクトのために、復興公営住宅が所在するいわき市の夏祭り「いわき七夕祭り」に参加してはどうかといううれしい提案を「ワングラ」から受けた。ワークショップの講師役はアーティストの竹内寿一さんに引き受けていただいた。

最初の訪問は、はじめましての挨拶をかねて対話の時間とした。真あたらしい復興公営住宅の集会場に、竹内さん、「ワングラ」のメンバー、「みんぷく」の復興支援員、そして県立博物館学芸員のわたしたちがお邪魔した。集まってくださった入居者のあいだに入り「みなさんの町のこと、町の自慢を教えてください」とお願いする。やがて小さな輪がい

NPO法人Wunder ground
二〇一一年に設立したいわき市拠点のNPO法人。設立直後に東日本大震災が発生、NPOとしてのはじめての活動が復興支援活動となった。二〇一三年から、福島藝術計画×Art Support Tohoku-Tokyoに参画、事務局を務める。二〇一四年から、はま・なか・あいづ文化連携プロジェクトの実行委員会に構成団体として参加。おもにいわき方面でおこなった事業に尽力した。

竹内寿一
アーティスト。全国でワークショップをおこなっている。いわき市小名浜の復興公営住宅に、いわき七夕プロジェクトのあともかよい、住民の場づくりにかかわった。ワークショップを「自立」のためのものととらえ、参加者が主体的・継続的に活動するためのきっかけに、

くつもでき、それぞれの輪のなかで、アーティスト、復興支援員、地元のＮＰＯが自分たちの文脈で会話をつむいだ。わたしたちは土地の歴史や文化をからめながらお話を聞いていった。

「浪江町っていったら、やっぱり大堀相馬焼かねぇ」
「青ヒビと馬の絵付けですよね」
「よく知ってるねー」

浪江町は大堀相馬焼、双葉町はバラ園、大熊町は「おーちゃんくーちゃん」という町の熊のキャラクター、富岡町は桜。それぞれの町の自慢を教えてもらった初回の訪問を経て、竹内さんが考えてくれた復興公営住宅のいわき七夕祭り参加プランは、すべての町自慢を盛りこんだ熊手の飾り。——住民一人一人が主体となって、自分のつくりたいものをつくり、それらを「福」として「熊手」にかきあつめる——が、竹内さんが生みだしたコンセプトだった。

骨格ができたワークショップは、わたしたちが訪問していっしょに制作する時間を合間にはさみながら、住民のアイディアと表現で独自にゆたかに展開していった。最初は町ごとに集まっていた人たちがやがて同じ時間に集まり、制作をおこなうようになった。材料を家からもち寄ったり、差し入れを分けあったりしながら、完成にむけての時間が積み重ねられた（写真６）。そうして完成した熊手の七夕飾りは、いわき市の有志の人びとがつくってくれた大きな竹の手にたくさんの福がとりつけられたものになった。熊手の要には

かかわるアーティストがなることをたいせつにしている。

大熊町の熊のキャラクター。もち寄ったトイレットペーパーの芯でつくった富岡の桜の吹き流しがその下に揺れている。双葉町の大きな白いバラは熊の右上で清楚な存在感を示し、走る駒の姿も凛々しい浪江町の大堀相馬焼の湯呑みは熊手の頂点を飾った。そのほか、かごを編む方法でつくった米俵や座布団を使った巨大ボボ、大きな折り鶴など、住民がみずから考え、手を動かしてつくったたくさんの福を集めた熊手の飾り。「みんぷく」が用意してくれたバスで、いわき駅前の通り沿いに高く掲げられた熊手の飾りを見学にいった住民たちのほこらし気な表情は、まちがいなく七夕飾りワークショップの大きな成果だった（写真7）。

いわき七夕祭りから数か月後、ひさしぶりに復興公営住宅の集会場をおとずれた時、住

写真6　いわき七夕プロジェクト　ワークショップのようす

写真7　いわき七夕祭りでの展示

民のみなさんが、それまでのことやいまの心境を聞かせてくださった。

「ここはね、こうやって七夕飾りつくったりして、なかよくなって、幸せ。だけど、仮設にいる時は、病気でも老衰でもなくて何人も亡くなったんだよ」

同じ場所で暮らすことになった人びとがコミュニティをつくるきっかけとなり、住民の自治につなげること。「動きだすためのアイディアを用意して、あとはそばにいるだけ。ときどき、アドバイスをそっとわたすけれど、住民の意志にまかせる」というスタイルを貫いてくれた竹内さんは、このワークショップの目的を真に理解してくれていた。そんなかかわりかたをしてくれるアーティストと専門性をもつ団体の連携が、目的を実現させた。大災害・大事故による広域避難という異常事態から、どのようにコミュニティを再生するのか。いわき七夕プロジェクトは、その困難な課題に文化の力によってむきあったものであり、すべての復興公営住宅のコミュニティ再生に応用できるモデルであったと自負している。

大災害や大事故がおきた時、だれもが自分に何ができるのかを問う。博物館にできることは種々あるが、そのひとつがアートプロジェクトであることを、ここに紹介した事例だけでも十分に教えてくれる。博物館という土地の記憶をのこし伝える機能がアートプロジェクトという多様な専門家との協働の一翼を担うこと。その意義を東日本大震災と東京電力福島第一原子力発電所事故を経てわたしたちは学んだ。博物館×アートプロジェクトは、今後おきるさまざまな事象にむきあう手法となりうるはずだ。

小林めぐみ（こばやし・めぐみ）

福島県立博物館学芸員。早稲田大学大学院文学研究科修士課程修了。一九九六年から福島県立博物館に勤務。専門は美術工芸。二〇一〇―一二年「会津・漆の芸術祭」を企画運営。二〇一一年以降は、博物館学芸員としての経験を基盤に復興支援を目的としたさまざまなアートプロジェクトに従事。はじめてのフィールドワークは小学校低学年のころ。夏の昆虫採集と標本作り。

＊　＊　＊

■わたしの研究に衝撃をあたえた一冊『工芸の領分　工芸には生活感情が封印されている』

美術史における工芸のありかたがとてもわかりやすく理解され、かつ工芸のあるべき姿、社会における役割を明確にしてくれた一冊。美術史における彫刻、絵画優位が気にならなくなり、工芸への誇りが生まれるにいたらせてくれたたいせつな本。

樋田豊次郎著
中央公論美術出版
二〇〇三年

あとがき

赤坂憲雄

この巻は赤坂憲雄による責任編集である。構成的にもいくらか風変わりなものになっているかと思う。まず、冒頭の対談では、日本における災害史研究を在野の立場から牽引されてきた北原糸子さんから、御自身の研究史をフィールドとの関わりにおいて語っていただいている。そのほかは、もっぱら災害とアートやミュージアムとの関係という、いくらか特異なテーマを扱う論考が並んでいる。そうした選択は、わたし自身が東日本大震災後に、福島県立博物館館長として福島の地震・津波と原発事故に深く関わらざるをえなかったことと、無縁ではない。その複合的な体験をいかに記録するか、そこに絡みつく複雑な記憶をいかに継承してゆくか、といったテーマそれ自体は、けっして新しいものではない。しかし、おそらく東日本大震災は東京電力福島第一原発の爆発事故という未曾有のできごとが附加されたことによって、いやおうなしに未知なる次元へと押し出されていった。

原発事故がもたらしたものは、可視化するのがむずかしい。そもそも放射性物質は見えない、色がない、匂いがない。そして、わけはわからないが法制度的には「無主物」と規定されているらしく、だれの所有と責任の元にあるのかがよくわからない。だから、それはいつだって、なかったことにしたい欲望の政治学に搦め捕られており、いよいよ曖昧模糊としてくる。それはただ、線量計による数量化という手続きを経ることで、ようやくその存在が確認できる。その数字すら安心／安全というテーマとの絡み合いで、恣意的に基準そのものが変更になり移ろい揺れるので、落ち着きがきわめて悪い。さらに困ったことには、見えない放射能やら放射性物質やらが人間にもたらす不安はそれぞれであり、あえて言っておくが、不安はけっして数量化することができない。

だからこそ、アートが果たすべき役割というものがあると感じられる。港千尋さんは「風景と時間」のなかで、「写真は見えないものを見えるようにする、ヴィジュアリゼーションの基本的な道具である」と述べているが、それはたんに写真に限ったものではなく、芸術とかアートと呼ばれるものに普遍的に見いだされる役割といっていい。見えないものに向かいあうとき、アートはもっとも鮮やかに自己をむきだしに顕す。港さんの「風景と時間」と題された論考は、東日本大震災以後のいま・ここでのアートの在りようについての、きわめて的確な自己測定の試みでありえている。

川延安直さんによる「福島県立博物館の試み」は、わたし自身も深く関わってきたプロジェクトの報告であるが、福島というまさしく震災の現場からの手探りの記録であるという意味合いでも貴重なものである、といささかの自負とともに思う。小林めぐみさんの「博物館×アートプロジェクト」と合わせて読んでいただけると、幸いである。また、「記憶の回収と修復から、表現の創出へ」は、宮城県気仙沼市のリアス・ワーク美術館において、たいへん独創的な表現活動を重ねてきた山内宏泰さんによる示唆に富んだ論考である。山内さんはそこで、「津波によってひきはがされてしまった地域の文化的記憶と記憶を宿すモノを回収するフィールドワーク」に従いながら、「回収した断片をアーティスティックな手法によって修復する、つまり表現物へと昇華させる活動」をおこなってきた、と述べている。

さらに、新井卓さんの「〈当事者〉と〈非当事者〉を超えて」と、藤井光さんの「核と物」という二篇の論考では、この時代の表現の最前線において、記憶と忘却と物語とが織りなす複雑怪奇な、しかも見えにくい政治の力学と無縁ではありえない葛藤の現場＝フィールドからの実践的な報告がなされている。「語りえぬもののためのあたらしいことば」を、すべてのアートを繋ぎ合わせ、「世代をまたぐ忍耐強い協働」の元に探し求めてゆこうと、新井さんは呼びかけている。あるいは、原発事故について知ること・考えることが、「忘却と内面化された集団的自己検閲によって制限される現在」においては、その試みは「政体の構造と形態を直視すること」とならざるをえず、そうした探究をどのように継続するかという方法論の多様性が問われている、と藤井さんは述べている。二人の論客にたいして、心からの共感を表しておきたいと思う。

いずれであれ、わたしたちはどうやら、災害や戦争をめぐる記憶と忘却の政治学に抗うための見えない方法として、アートとのあらたな邂逅を果たそうとしている。語りえぬものについて、沈黙してはならない、あくまで語り続けようと足掻くことをやめてはならない、とひそかに書き付けておく。

■編者紹介

赤坂憲雄（あかさか・のりお）

わたしはとても中途半端なフィールドワーカーだ。そもそも、どこで訓練を受けたわけでもない。学生のころから、小さな旅はくりかえしていたが、調査といったものとは無縁であった。三十代のなかば、柳田國男論の連載のために、柳田にゆかりの深い土地を訪ねる旅をはじめた。それから数年後に、東京から東北へと拠点を移し、聞き書きのための野辺歩きへと踏み出すことになった。おじいちゃん・おばあちゃんの人生を分けてもらう旅であったか、と思う。

■わたしの研究に衝撃をあたえた一冊『忘れられた日本人』

一冊だけあげるのは不可能だが、無理にであれば、宮本常一の『忘れられた日本人』だろうか。宮本の〈あるく・みる・きく〉ための旅は独特なもので、真似などできるはずもなく、ただ憧れとコンプレックスをいだくばかりだった。民俗学のフィールドは、いわば消滅とひきかえに発見されたようなものであり、民俗の研究者たちはどこかで、みずからが生まれてくるのが遅かったことを呪わしく感じている。民俗学はつねに黄昏を生きてきたのかもしれない。

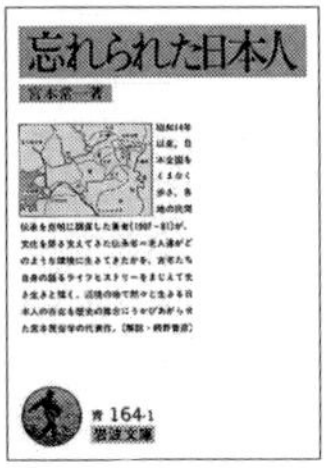

宮本常一著
岩波文庫
一九八四年（未來社、一九六〇年）

フィールド科学《かがく》の入口《いりぐち》

災害《さいがい》とアートを探《さぐ》る

2020年5月25日　初版第1刷発行

編　者――――赤坂憲雄

発行者――――小原芳明

発行所――――玉川大学出版部

〒194-8610　東京都町田市玉川学園6-1-1
TEL 042-739-8935　FAX 042-739-8940
http://www.tamagawa.jp/up/
振替：00180-7-26665

印刷・製本――モリモト印刷株式会社

乱丁・落丁本はお取り替えいたします。

ISBN978-4-472-18209-9 C0070 / NDC702

装画：菅沼満子
装丁：オーノリュウスケ（Factory701）
協力：中山義幸（Studio GICO）
編集・制作：株式会社本作り空Sola　http://sola.mon.macserver.jp

フィールド科学の入口

赤坂憲雄ほか編　全10巻

フィールドから見える「知の新しい地平」とは?
フィールドワークから生き生きとした科学の姿を伝える

暮らしの伝承知を探る

野本寛一・赤坂憲雄 編

【I部 対談】**野本寛一・赤坂憲雄**「無手勝流フィールドワーク」

【II部】**小川直之**「神樹見聞録　フィールドワークから見えてくること」／**川島秀一**「オカボラ奮闘記　沿岸をあるく喜び」

【III部】**柴田昌平**「映像によるフィールドワークの魅力『クニ子おばばと不思議の森』を手がかりに」／**北尾浩一**「暮らしから生まれた星の伝承知」／**宮本八恵子**「モノを知り、人を追い、暮らしを探る」／**山﨑彩香**「在来作物とフィールドワーク」／**鈴木正崇**「南インド・ケーララ州の祭祀演劇　クーリヤーッタム」

自然景観の成り立ちを探る

小泉武栄・赤坂憲雄 編

【I部 対談】**小泉武栄・赤坂憲雄**「『ジオエコロジー』の目で見る」

【II部】**岩田修二**「中国、天山山脈ウルプト氷河での氷河地形調査」／**平川一臣**「津波堆積物を、歩いて、観て、考える」

【III部】**清水善和**「小笠原の外来種をめぐる取り組み」／**松田磐余**「地震時の揺れやすさを解析する」／**山室真澄**「自然はわたしの実験室　宍道湖淡水化と『ヤマトシジミ』」／**清水長正**「風穴をさぐる」／**菅　浩伸**「サンゴ礁景観の成り立ちを探る」

イネの歴史を探る

佐藤洋一郎・赤坂憲雄 編

【I部 対談】**佐藤洋一郎・赤坂憲雄**「野生イネとの邂逅」

【II部】**石川隆二**「国境を越えて　イネをめぐるフィールド研究」／**佐藤雅志**「栽培イネと稲作文化」

【III部】**宇田津徹朗**「イネの細胞の化石（プラント・オパール）から水田稲作の歴史を探る」／**山口　聰**「『中尾』流フィールドワーク虎の巻」／**ドリアン・Q・フラー**「植物考古学からみた栽培イネの起源」／**田中克典**「イネ種子の形状とDNAの分析　その取り組みと問題点」

遺跡・遺物の語りを探る

小林達雄・赤坂憲雄 編

【I部 対談】**小林達雄・赤坂憲雄**「『人間学』としての考古学の再編」

【II部】**大工原　豊**「縄文ランドスケープ　縄文人の視線の先を追う」／**中村耕作**「釣手土器を追う」

【III部】**佐藤雅一**「遺跡を探して守り、研究する」／**七田忠昭**「吉野ヶ里遺跡を探る」／**大竹幸恵**「黒曜石の流通にみる共生の知恵」／**葛西　勵**「環状列石（ストーン・サークル）を求めて」／**新東晃一**「火山爆発と人びとの祈り」

海の底深くを探る

白山義久・赤坂憲雄 編

【I部 対談】**白山義久・赤坂憲雄**「深海の星空の可能性」

【II部】**藤倉克則**「深海生物研究のフィールドワーク」／**柳　哲雄**「海の水の流れの計測」

【III部】**蒲生俊敬**「インド洋の深海に海底温泉を求めて」／**青山　潤**「ニホンウナギの大回遊を追いかける」／**木川栄一**「南鳥島周辺のレアアース泥を調査する」／**阿部なつ江・末廣　潔**「マントル到達に挑む」／**蓮本浩志**「観測を支援する技術」

人間の営みを探る

秋道智彌・赤坂憲雄 編

【I部 対談】**秋道智彌・赤坂憲雄**「『コモンズ＝入会《いりあい》』の可能性と未来を探る」

【II部】**小長谷有紀・秋山知宏**「オアシスプ

ロジェクト調査記録 砂漠に生きるモンゴル人の水利用を探る」／赤嶺 淳「ナマコとともに モノ研究とヒト研究の共鳴をめざして」

【Ⅲ部】安渓遊地「西表島の廃村ですごした日々 わたしのはじめてのフィールドワーク」／桑子敏雄「佐渡島の自然保全活動 地域の〝対立〟をこえるフィールドワーク」／白川千尋「オセアニアでの医療人類学調査」／池口明子「人間の営みを学際的に探る 貝類採集からみる干潟の漁撈文化」／蒋 宏偉「ラオス水田耕作民の『のぐそ』を追う」

食の文化を探る

石毛直道・赤坂憲雄編

【Ⅰ部 対談】石毛直道・赤坂憲雄「料理と共食、食卓というフィールドで」

【Ⅱ部】森枝卓士「食のフィールドワークとその記録術」／原田信男「食の生産と消費をめぐるフィールドワーク」

【Ⅲ部】辻 大和「海の幸を利用するサルたち」／守屋亜記子「韓国の高齢者の食」／マリア・ヨトヴァ「「ヨーグルト大国」ブルガリアをフィールドワークする」／阿良田麻里子「生活文化としての食、言語からみる食」／山本紀夫「インカの末裔たちは何を食べているのか」

文学の環境を探る

野田研一・赤坂憲雄 編

【Ⅰ部 対談】野田研一・赤坂憲雄「『環境人文学』とは」

【Ⅱ部】結城正美「エコクリティシズムの舞踏 環境文学というフィールドで」／波戸岡景太「アウシュヴィッツのあとに『ニッポニアニッポン』を読むこと 欧州から佐渡島にいたる文学と動物のフィールドワーク」

【Ⅲ部】小谷一明「凡庸なる風景 反トポス的なフィールドワークのために」／奥野克巳「生ある未来に向け、パースペクティヴを往還せよ」／山田悠介「交感論の展開と現在の視座 『他者』と『近代』へのまなざし」／中川僚子「被爆体験の継承のかたち カズオ・イシグロ『わたしを離さないで』を手がかりに」／小峯和明「〈災害文学史〉の構築をめざして 〈環境文学〉論の道程」

創造する都市を探る

佐々木雅幸・赤坂憲雄 編

【Ⅰ部 対談】佐々木雅幸・赤坂憲雄「地域の内発的発展から創造都市へ」

【Ⅱ部】川井田祥子「障害者と芸術表現」／敷田麻実「観光としてのフィールドワーク」／

【Ⅲ部】萩原雅也「創造都市・農村のためのフィールドワークへの誘い 見えない都市へ」／松岡希代子「わがまち ボローニャ」／本田洋一「食文化をいかした創造農村の形成 鶴岡市の挑戦」／竹谷多賀子「『沖縄のこころ』と「サスティナブル・ソサエティ（維持可能な社会）」の実現」

災害とアートを探る

赤坂憲雄 編

【Ⅰ部 対談】北原糸子・赤坂憲雄「災害の社会史」

【Ⅱ部】港 千尋「風景と時間 リサーチからレガシーへ」／川延安直「福島県立博物館の試み 東日本大震災八年目の春にふり返る」

【Ⅲ部】新井 卓「〈当事者〉と〈非当事者〉を超えて 耳を澄ます未来の物語」／山内宏泰「記憶の回収と修復から、表現の創出へ」／藤井 光「核と物」／小林めぐみ「博物館×アートプロジェクト 大災害・大事故に博物館がむきあう方法」

〈本シリーズの特色〉

- 実際に現地を訪れ、対象を直接観察（聞き取りなどをふくむ）し、史料・資料を採取する客観的調査方法である「フィールドワーク」。民俗学、農学、自然地理学、考古学、生物学、文化人類学など、「フィールド科学」諸学問とその方法をあきらかにする。
- 学問の専門化・細分化がすすむなか、各領域が有機的なつながりをもっていることを伝える。科学は単独で成立するものではなく、相関しあっていることを示す。
- 各領域の調査・研究のトピックが満載。人間の足跡や自然の足跡を探るフィールドワークのおもしろさを伝え、読者の知的好奇心・行動を呼びおこす。
- 写真や図版、脚注を多く掲載し、わかりやすい内容。各執筆者による「わたしの研究に衝撃をあたえた一冊」なども紹介。フィールドワーカーの「姿」をとおして、研究内容への興味・関心を深める。

A5判・並製 各約240頁
本体 各2400円